Les THIBAULT 2

チボー家の人々

少年園

ロジェ・マルタン・デュ・ガール
山内義雄＝訳

白水 *u* ブックス

チボー家の人々2　少年園　目次

一

　昨年、家出をしたふたりの少年をつれ帰ったあの日以来、アントワーヌは、一度もフォンタナン夫人の家をたずねなかった。だが小間使いには、すぐに彼だということがわかった。そして、夜の九時というのに、彼はわけなく通してもらえた。

　フォンタナン夫人は、自分の部屋にいた。ふたりの子供たちも彼女のそばにいた。夫人は、暖炉の前の椅子に腰をおろし、ランプのかげにしゃんと上半身を立てながら、高い声で本を読んでいた。ジェンニーは、ひじかけ椅子の中にからだをちぢめ、編んだお下げの髪をひねっていた。そして、目をじっと暖炉の上にそそぎ、母の読んでくれているのに聞きいっていた。ダニエルは、ちょっと離れたところに、足を組み合わせ、ひざの上にカルトンをのせて、木炭で母のスケッチを仕上げていた。戸口のところ、ちょっと暗がりになったところに立ちどまったアントワーヌは、悪い時刻にやって来たなと思った。といって、いまさら引き返すわけにもいかなかった。

　フォンタナン夫人の応対ぶりには、いささか冷ややかなものがあった。とりわけ、彼女はびっくりしているようだった。夫人は、子供たちをそこに残したまま、アントワーヌを客間へ案内した。そして、来訪の目的がわかると、席を立って、息子を呼びに行った。

ダニエルは、まだ十五なのに、十七くらいに見えていた。薄ひげがはえていて、それが口の線をしめしていた。アントワーヌは、気おくれがしながら、青年をま正面から、いつものちょっといどみかかるようなようす、《ねえ、ぼくは単刀直入にいきますよ》といったようなようすで見つめていた。そして、フォンタナン夫人の前へ出るやいなや、かつての日とおなじように、彼のかくれた本能は、彼の淡白な態度を、いささか大げさなものにさせていた。

「こうなんです」と彼は言った。「ぼくはきみに会いたくって来たんです。きのう、きみにお会いして、ぼくはいろいろ考えさせられました」ダニエルは、ぎょっとしたようだった。「そうなんです」と、アントワーヌはつづけた。「きみは急いでおいでだったし、ぼくも急いでいたので、おたがいちょっと話し合えただけでしたが、ぼくにはどうやら……さ、なんと言ったらいいかな……それに、きみは、ジャックについてひと言もぼくにおたずねでなかった。そのことから、ぼくは、さてはジャックのやつ、きみのところへは手紙をよこしているんだなとにらんだのです。そうでしょう？　しかもぼくは、やつめ、きみのところへはいろいろなことを、このぼくの知らないような、またぼくとして知らなければならないようないろいろなことを言ってよこしているにちがいないと踏んだのでした。ちょっと、失礼、ま、こっちの話を聞いてください。ジャックは、去年六月にパリを離れました。いまは、かれこれ四月になろうとしている。つまり、やがて九カ月あっちにいることになるわけですな。ぼくは、その後、あの子に会っていません。向こうからも、なんとも言ってよこしていません。しかし、おやじだけは、たびたび彼に会っています。そうして、あいつは元気でいる、よく勉強している、家を遠く離れ、規律正しい生活をしていてすでにりっぱな結果をあげている、と言っています。おやじは、思いちがいをしているんでしょうか？　それとも、おやじはだまされているんでしょうか？　きのう、きみに会ってから、ぼくは急に心配になってきました。ぼくには、あの子が、いまいるところで、おそらく不幸な目にあっているにちがいない、しかもそれについて、ちっともわかっていないため、助けてやることもできずにいる、といったように思われてきました。そう考えると、ぼくは、いても立ってもいられません。そこでざっくばらんに、きみに会いに来ようと思ったのです。ぼくは、あの子にたいするきみの友情に訴えたい。なにも秘密を裏ぎることにはなりません。きみには、あの子が確かにあそこでのことを書いてよこしているにちがいない。ぼくを安心させるか――それとも、ぼくに乗りだす機会をあたえてくれるか、その鍵を握っているのはきみ以外にないのです」

ダニエルは、じっと顔色も変えずに聞いていた。彼のしめした最初の身ぶりは、そうした話はごめんだということだった。彼は、顔を上げたまま、心の動揺によってこわばった眼差しを、じっとアントワーヌの上にそそいでいた。やがて、まが悪くなってきた彼は、母親のほうを向きなおった。母は、息子がいったいどうするつもりだろうと興味をもちながら、彼のほうをながめていた。しばらく待ったが、そのままだった。とうとう母は微笑を浮かべた。

「ほんとのことを申しあげてごらん」彼女は、すべてをまかせるといったような手まねをしてみせながら言った。「ほんとのことを申しあげて、後悔することはないのだから」

そこで、ダニエルは、やはりおなじような身ぶりをしながら、話そうという決心をしめした。そうだ、彼はときどきジャックから手紙をもらっていた。だが、それはだんだん短くなり、だんだん言葉すくなになっていた。ダニエルは、友が、ある律儀な田舎教師のところにあずけられていることを教えられていた。だが、それはいったいどこなのか？　封筒の上には、北部鉄道線の郵便車の消印がおされていた。あるいは予備校とでもいったようなところだろうか？

アントワーヌは、おどろきを外にあらわさないようにつとめていた。どれほどジャックが、心を用いて、その一番親しい友人にさえほんとうのことをかくそうとしていたことだろう！　だが、それはなぜ？　はずかしくってか？　チボー氏をして、その息子を入れたクルーイの感化院のことを、世間の手前《オワーズ河畔の宗教的施設》と言いつくろわせているのとおなじはずかしさのためとでもいうのだろうか？　あるいは、それらの手紙というのも、じつは、ひとの言うとおりを書き取ったものなのではないだろうか？　そうした疑いが、ふっとアントワーヌの心に浮かんだ。そうだとしたら、弟は、おそろしい境遇におかれているのではないだろうか？　彼は、ボーヴェーの革命的新聞によってなされた攻撃、《社会矯風協会》にたいしてなされた激烈な非難のことを思いだした。そのでためにたいしては、チボー氏が讒誹（きひ）の訴えを起こし、全面的な勝訴を得ることによってその虚偽であることを明らかにしていた。だからと言って？　アントワーヌは、自分だけしか信用することができなかった。

「その手紙のどれかひとつ、ぼくに見せてくれませんか？」と、彼はたずねた。そして、ダニエルが顔をあからめたのを見ると、彼は、おくればせに、微笑を浮かべながら申しわけをした。「一本だけでいい、ちょっと見せてもらうだけ。どんなのでもいいんです……」

ダニエルは、それにはなんとも答えず、目で母に相談もせずに立ちあがったと思うと出て行った。

フォンタナン夫人とふたりきりになったアントワーヌは、昔感じたことのあるいろいろな気持ち、知らない土地へ来てとほうにくれたような気持ち、と同時に、好奇心とか、魅力とかいったようなものを見いだした。夫人はじっと前をみつめていた。そして、何も考えていないようだった。だが、自分の前に夫人がいるということだけで、アントワーヌの内部生活、その鋭敏な頭脳が傾くためにはじゅうぶんだった。この婦人のまわりの空気は、何かしら特別な伝導力を持っていた。おりもおり、アントワーヌは、自分の目ちがいでなく、そこに、非難の気持ちらしいもののただよっているのを感じた。それはたしかに、思いちがいのせいであるとは言えなかった。ジャックがどうなったかを知らない彼女には、べつにアントワーヌなりチボー氏なりを明らかに非難しようというつもりはなかった。だが、たった一度、ユニヴェルシテ町を訪れたときのことを思いだして、そこでいつもおこなわれていることが、あまり好もしいものでないといった印象を持っていた。アントワーヌも、彼女の気持ちを見てとっていた。そして、自分でもだいたいそれをみとめていた。もし誰かが、自分の父親のやり方を非難しようとしたのだったら、彼は、厳然としてそれに反抗したにちがいなかった。だがいま、彼は、心の底で、フォンタナン夫人とともに、父に反対する立場に立っていた。すでに去年も——彼はそのことをおぼえていた——はじめてフォンタナン家の空気に触れたとき、家へ帰ってからの家庭の空気が、幾日かのあいだ、いきのできないもののように思われたのだ。

ダニエルがもどって来た。そしてアントワーヌに、そまつな一枚の封筒をさし出した。

「これが最初の分です。一番長い分です」そして、椅子へ行って腰をおろした。

フォンタナン君

いま、ぼくの新しい家からこの手紙を書く。きみからは、手紙をよこさないでくれたまえ。ぜったいに禁じられているんだから。そのことをのぞいては、すべては快適だ。先生もりっぱな人で、ぼくにたいしても親切。そして、ぼくはいっしょうけんめい勉強している。親切な友だちもおおぜいいる。それに、日曜ごとには、おやじと兄きがたずねてくれる。ごらんのとおり、はなはだ快適な生活なんだ。お願いだ、ダニエル、われらふたりの友情にかけて、どうかおやじをあまり手きびしく批判しないでくれたまえ。きみには全部がわかっていない。ぼくには、彼が非常にいい人だということがわかっている。そして、学校でくだらなく時を失うかわりに、パリを離れさせてくれてよかったと思っている。いまにして、ぼくにはそれがわかってきた。そして、満足している。住所は教えない。きみから手紙をよこさないでもらいたいと思ってなのだ。手紙がくると、ここではたいへんなことになるだろうから。

友よ、おりがあったらまた書こう。

ジャック

アントワーヌは、この手紙を二度くり返して読んだ。もしいくつかの特徴によって、それが弟の筆跡だということを見わけられなかったら、彼はおそらく、それがジャックの手紙だということを疑いさえしたにちがいない。封筒のあて名は、別な人の手で書かれていた。田舎者らしい、おどおどした、ためらいがちな、きたない筆跡だった。形式も、内容も、ともに彼をがっかりさせた。なぜまたこんな嘘をつくのだろう？《友だち》だなんて！ジャックは、チボー氏が、良家の子供たちのためにとクルーイの感化院の中につくらせた、はいり手のない例の《特別室》の中で、一種の監房生活をさせられているのだ。そして、話し相手といったら、食事を運んだり、あるいは彼を散歩につれて行くことを申しつかっている召使い、それに一週二、三回、コンピエーニュから彼に教えにやってくる先生以外にないのだった。《おやじと兄きもたずねてくる》？　チボー氏は、毎月第一月曜日に、管理委員会を司会するため、公式にクルーイへ出かけていた。そして、その日は、帰るまえのしばらくのあいだ、たしかに息子を応接室に呼んでこさせていた。だが、アントワーヌが、夏休みに、弟に会いに行きたいということをはっきり申しでたとき、父は、それに反対した。《あの子の矯正には》と、父は言った。《隔離を厳格におこなうことが何よりもたいせつだ》

ひざの上にひじを突いたまま、彼はその手紙を指の中でひねくりまわしていた。彼は、ずっとまえから、心のくつろぎを失っていた。彼はとつぜん、自分がいかにもまいったような、いかにもひとりぼっちになったような気持ちを感じて、自分の前にいるこの聡明な婦人に、あわやすべてを打ちあけようかとさえ思った。彼は、夫人のほうへ目を上げた。両手をスカートの上におき、もの思わしげなおももちの彼女は、さも何ごとかを待ちうけてでもいるようだった。そして、その眼差しはするどかった。

「何かお役に立つようなことがございましたら」と、夫人はなかば微笑を浮かべながら、低い声でつぶやいた。髪の毛の白さは、その微笑を、またその顔を、ずっと若々しくみせていた。

だが、いざ打ちあけようという段になって、彼はためらった。ダニエルは、例のいかにももっともらしいようすで、彼をながめていた。アントワーヌは、自分が優柔不断な人間に見えること、さらには、元来精力的な人間であるこの自分が、フォンタナン夫人に見あやまられることをおそれていた。だが、彼は、ひとつのりっぱな理由を見いだした。それは、ジャックがそれほどかくしたがっている秘密を、自分からもらすことをしてはならないということだった。彼は、それ以上ためらうことなく、自分から何か言いだすことをおそれながら、何かしら沈痛な顔つきで、帰ろうと思って手を出した。そのときの顔つき、それこそは彼がいつも好んで見せるところのものであり、それは、誰に向かっても、《何もおたずねにならないで。わかっていただけているはずです。おたがい、わかっているのです。さよなら》と、言ってでもいるようなものだった。

外へ出ると、彼はどんどん歩きだした。彼は、心の中でくりかえした。《冷静と、決断と》五、六年科学の勉強をした彼としては、少なくも、見せかけだけでも論理的な推論をせずにはいられなくなっていた。《ジャックは文句を言っていない。だから、ジャックはふしあわせではない》それでいて、彼はまったくその逆を考えていた。彼は、昔、少年園にたいしてなされた新聞の攻撃のことを執拗に思いだしていた。彼は特に《子供の牢獄》と題された記事を思いだしていた。そこには、微細にわたって、栄養も悪く、住まいも不満足であり、体刑を科され、監督どもの乱暴なとり扱いにまかされている児童たちの、物質的、精神的な貧困について述べられていた。彼は、思わず憤然とした身ぶりをした。いやおうなしに、弟を救いだしてやらなくては！　りっぱな仕事だ！　だが、その方法は？　あらかじめ父に話して、一席論じてみることにするか？　だが、それはまったく問題にならなかった。というのは、それはまさに、父にたいし、父が創立し、また所管している矯風協会にたいして反旗をひるがえすことにほかならなかった。こうした、子としての反抗的行動、それは、彼として、これまで思ってもいなかったことであり、最初はちょっと当惑を感じた。だが、それもやがて、得意な気持ちに変わっていった。

彼は、去年、ジャックがもどって来た翌日のことを思いだした。チボー氏は、朝まだきアントワーヌを自分の書斎へ呼んでこさせた。すでに、ひと足さきに、ヴェカール神父もやって来ていた。父はどなっていた。《ろくでなしめが！　やつの性根をたたき直してやらなければ！》父は、その毛むくじゃらな大きな手を前へ突き出し、それをひらいては、またゆっくりととじていた。それから父は、満足げな微笑を浮かべてこう言った。《方法が見つかったようだぞ》そして、しばらくまをおいたあとで、まぶたをあげると、《クルーイへやる》と、はき出すように言った。《ジャックを、少年園へ？》と、アントワーヌがさけんだ。議論が沸騰した。《やつの性根をたたき直してやるのだ》と、父は、指の骨を鳴らしながらくり返した。司祭は、決しかねていた。だが、父は、これからジャックにやらせようという特別な矯正方法のことを説明した。聞いていると、それはいかにもりっぱな、父親として心のこもったもののように思われた。そして、父は、どっしりした声で、句読をはっきりさせながら、次のように結論した。《こうして、有害な誘惑からひき離され、孤独によってよこしまな本能からはなたれ、仕事に興味を持つようになって十六歳を迎える。そのときはじめて、なんの危険もなしに、われわれのところにもどって来て、ふたたび家庭生活にはいれるのだ》司祭も、納得していた。そして《孤独の生活は、きわめて効果のあるものでして》と、いうようなことを言っていた。アントワーヌは、父の議論と司祭の賛成とに心を動かされ、自分もまた、彼らの言うところがもっともであるかのように思った。だが、きょうの彼は、あのとき賛成したことについて、自分自身をも、また父をも、共に許すべからざるものとして考えていた。

彼は、道も見ずに、足早に歩いて行った。《ベルフォールの獅子》（パリ、ダンフェル・ロシュロー広場に立っている記念像。普仏戦争におけるベルフォール死守の記念として立てたもの）の前までくると、彼はくるりと向きを変えた。そして、次から次へとタバコに火をつけ、夕風に煙を吹き散らしながら、ふたたび大またに歩きはじめた。ぐさりとひと突き、核心をついてやらなければ。クルーイに駆けつけ、司法官の態度で乗りこんでやるのだ……

女がひとり、そばへよって来て、何かあまったれた声でひと言ふた言声をかけた。彼は返事もしなかった。そして、サン・ミシェル通りをくだりつづけた。《司法官の態度で！》と、彼はくり返した。

《上役どものインチキや、監督どもの残忍さを暴露し、ひと問題起こしてやり、弟を家につれもどすんだ！》

だが、その意気ごみは、たちまちふっとたち切られた。彼の心は、ふたつの道をたどっていた。すなわち、そうした大計画とならんで、そのかげにひとつの気まぐれが首をもたげていた。彼は、セーヌ川を渡った。彼には自分の気まぐれが、自分をどこへつれて行こうとしているかがわかっていた。どうしていけない？　このまま家へ帰って寝るにしては、あまりに興奮しすぎてはいないだろうか？

彼は、息を吸いこみ、上体をのばし、微笑した。《強くなるんだ。男になるんだ》と、思った。そして、そうした彼が、快活に、暗い小路へはいって行きかけたとき、彼の心はふたたび大きないぶきにそそり立てられた。彼の決心は、簡潔な、輝きわたった、そしてすでに勝ち誇ったすがたをとって彼の目の前に思い浮かんだ。こうして、十五分ばかりまえから彼の心を奪いあっていたふたつの計画のうち、そのひとつを実行にうつそうとしていたおりもおり、もうひとつのほうの計画は、彼にとってほとんど実現されたもおなじように思われた。そして彼は、なれたものごしでガラスとびらを押しながら、はっきり次のように思いさだめた。

《あしたは土曜だ、病院がぬけられない。だが日曜。そうだ、日曜の朝、少年園へ行ってやろう！》

二

朝の特急は、クルーイへはとまらないので、アントワーヌは、コンピエーニュのひとつ手前の駅、ヴネットでおりなければならなかった。彼は、えらく張りきったようすで汽車から飛びおりた。来るまでの車中、彼は来週受けなければならない試験があったにかかわらず、持って来た医学書に精神を集中することができなかった。最後の時は近づきつつあった。二日以来、彼の空想は、じつにはっきりと、今度の十字軍の成功を描いてみせてくれていた。したがって、彼はすでにジャックの監禁にも終わりを告げさせることができたように思い、あとはただ、弟の優しい感情を取りもどすことだけしか考えていなかった。

日の光の華やぎわたっている坦々たる美しい道を、彼は二キロ歩かなければならなかった。今年になって何週間も降りつづいたあとをうけて、春は、はじめて、この三月の朝のさわやかなにおいの中に、ついにその身をまかせたとでもいうようだった。アントワーヌは、道の両側、すでに緑のもえ出している鋤(す)かれた畑地とか、軽やかな靄のただよっている明るい地平の空の下、光にきらめくオワーズの丘陵のつらなりを、うっとりしたようにながめていた。彼は一瞬、心よわくも、どうか自分の思いちがいであってくれればいいがとさえ思っていた。それほどまでに、身のまわりのすべてのものが静かであり、清らかだった。これがはたして、子供たちの牢獄の書割だなどと思えるだろうか?

少年園へ行くには、クルーイ村を通りぬけて行かなければならなかった。そして、彼は、最後の家並みを曲がったとき、とつぜんハッと胸をつかれた。彼は、いままで一度もそれを見たことがなかったにもかかわらず、なにひとつ植物のはえていない白堊質の原のまん中に、荒壁にとり巻かれた新しい墓地とでもいったように孤立している瓦ぶきの大きな建物、それに格子のはまった窓のつらなり、そして、日をうけて輝いている大時計などを、遠くのほうからそれと見わけることができたのだった。二階の上部、石に刻まれた博愛の意味の文字が、もしと、金色に浮きあがっていなかったら、おそらくそれは刑務所と思われたにちがいなかった。

オスカール・チボー少年園

彼は、少年園に通じる樹木のない小みちの中へ歩み入った。いくつもの小さな窓は、訪問客のくるのを遠くからながめてでもいるようだった。彼は、戸口に近よって、小さな鐘のひもを引いた。鐘は、日曜日の静けさの中に鳴りわたった。ドアがあいた。小屋につないであった褐色の番犬が、えらい勢いでほえたてた。アントワーヌは、中庭へはいって行った。それはむしろ、小さな庭とでもいったようなもので、じゃりにかこまれたしばふが、本館の前で円形をつくっていた。彼は、自分が誰かに見られているのを感じた。それでいて、彼には、鎖を引っぱってほえつづけている犬以外、何ひとつ生きもののすがたが見えなかった。入口の左手には、上に石の十字架をいただいた小さな会堂が、立っていた。右手には低い建物があって、その上には《事務所》という字が読みとられた。彼は、その建物のほうへ歩いて行った。入口の石段に達したとき、しまっていたドアがあいた。犬は、あいかわらずほえたてていた。彼は、その中へはいって行った。修道院の応接室といったように、黄いろく塗られ、新しい椅子を並べたタイル張りの玄関。部屋は熱すぎるほど暖められていた。等身大の、だがこの低い壁にたいしてとても大きく見えるチボー氏の石膏の半身像が、右手の壁面を飾っていた。反対側の壁の上には、つげの枝を飾ったそまつな木の十字架が、さもそれと調和するといったようにかかっていた。アントワーヌは、身をまもるためといったようなまをおいて、そのままじっと立っていた。そうだ、たしかに自分の思いちがいではなかった！　何から何まで刑務所のにおいだ！

やがて、奥の壁にある受付の窓口があいて、ひとりの監督が首を出した。アントワーヌは、父の名刺といっしょに、自分の名刺を投げだした。そして、無愛想なちょうしで、園長に会いたいと言った。

五分ばかりの時がたった。

しびれをきらしたアントワーヌがあわや踏みこんで行こうとしたとき、軽い足音が廊下に聞こえた。そして、明るい栗色のフラノの服、すっかり金髪で、丸々と太った、眼鏡をかけたひとりの青年が、スリッパの上に身をおどらせながら、目を輝かし、両手を前にさし出しながら、彼のほうへ駆けよった。

「これはこれは、先生！　おめずらしいことでございます！　さだめし弟御さんもお喜びでございましょう。あなたさまのことは、よく存じあげております。お父さまが、たびたびご長男のドクトルのことをお話しなさるものですから！　それに、お血筋というものはあらそえないものでございますな……いいえ」と、彼は笑いながら言った。「まさにそのとおり！　それはそうと、どうぞ園長室のほうへお通りを。おお、これは失礼。わたくし、園長のフェームでございます」

彼は、足を引きずりながら、アントワーヌのすぐあとについて、彼を園長室のほうへおしていった。両腕をあげ、両手をひらいているところは、まさにアントワーヌがころびはしまいか、そんなときにはすぐつかまえてやれるようにとでもいうようだった。

彼は、アントワーヌをむりやり椅子にかけさせ、自分は事務机の前にすわった。

「大先生はいつもお元気でいらっしゃいますか？」と、彼は、笛を吹くような声でたずねた。「すこしもお年もお召しになりません。精力絶倫でいらっしゃいますな！　ごいっしょにお見えいただけなかったのが、なんともざんねんでございまして！」

アントワーヌは、うさんくさい目つきで、部屋の模様を調べていた。そして、ブロンドの髪をした中国人のような顔、しわのよった小さな目を、そのうしろで絶えずうれしそうな表情でちらつかせている金縁眼鏡を、無愛想なようすでながめていた。まさかこんなおしゃべりによって迎えられようとは思ってもいなかったし、それに、私服の警官、せいぜい中学校の校長程度のまずい顔をしていると思いこんでいたところ、いかにもにこやかな顔だちをした、パジャマ姿の青年が園長であると知って、彼は、落ちつきを取りもどすのに骨が折れた。

「しまった!」と、とつぜんフェーム氏がさけんだ。「と申しますのは、あいにく大ミサの時間においでになったものですから! 子供たちは、みんな御堂に行っております。弟御さんもごいっしょに。どうしたものでございましょう?」彼は、時計を出してみた。「まだ二十分ございます、聖体拝受の人数が多かったりいたしますと、おそらく三十分はかかりましょう。それもありうることでございまして。大先生からお聞きおよびだったでございましょう。ここには、教戒師の中でもピカ一というのがおります。年の若い、すばらしいやりての司祭でございまして! その男がここへまいりましてから、園の宗教的情操は一変いたしました。それにしても困りましたな、どうしたものでございましょう?」

アントワーヌは、無愛想なようすで立ちあがった。調査という目的が、彼の心から離れなかった。

「誰も部屋にいないということでしたら」と、彼は小がらな園長を見つめながら言った。「その少年たちの部屋というのを見せていただけますまいか? 実地に拝見してみたいと思います。子供のころから、たびたび話に聞いていましたから……」

「なんとおっしゃいます?」と、相手はおどろいて答えた。そして、「お安いご用で」と、つけ加えた。それでいながら、椅子から腰を上げようとしなかった。彼は微笑を浮かべていた。そして、微笑しつづけながら、しばらく考えているようだった。「ご存じのとおり、建物と申しましても、べつにめずらしくはございません。せいぜい小さな兵営とでもいったようなものでして。と申しましたら、あなたさまにはすぐおわかりになりましょう」

アントワーヌは、立ったままだった。

「いや、とても興味があるように思うのです」と、彼は言いはなった。そして園長が、ふざけたような、疑うような表情をしながら、しわのよった小さな目でじろじろ自分のほうをながめているのを見て、さらに「ほんとに」と、念を押すように言った。

「かしこまりました。ではちょっと、上着と靴を取りかえてまいります」

そう言って彼は姿を消した。アントワーヌの耳には、ベルの音が聞こえた。すると、中庭で鐘が五つ鳴った。《ははあ》と彼は思った。《非常警報っていうやつなんだな。敵が忍びこんだぞということなんだな！》彼は、もう腰をかけてはいられなかった。そして、窓のところへ行ってみた。だが、窓ガラスは、すべてつや消しになっていた。《落ちつかなければ》と、彼は思った。《目をはっきりあけて、しっかりしたところをつかんでやるのだ。実行、これが自分にとっての問題なんだ》

フェーム氏が、ふたたび姿をあらわした。

ふたりは、外へ出た。

「これが式庭でございましてて！」と、園長はもったいらしく説明した。そして、ばかていねいに笑ってみせた。それから彼は、またもやほえだした犬のほうへ駆けて行き、その横腹を乱暴に蹴あげた。犬はおびえて、犬小屋の中へはいってしまった。

「いくらか園芸のほうもなさいますか？　いや、これはしたり、お医者さまというものは、植物に明るくておいでですな！」彼は、庭のまん中で、上きげんなようすで立ちどまった。「ひとつお知恵を拝借したいと思いますが。ここの壁をかくすにはどうしたものでございましょう？　つたでしょうかな？　しかし、それでは何年もかかりましょうし……」

　アントワーヌは、それにはなんとも答えずに、彼をぐんぐん本館のほうへ引っぱって行った。ふたりは、階下を見てまわった。アントワーヌは、目をみはり、威信をもって、しめてあるちょっとしたドアまであけてみながら、先に立って歩いて行った。彼は、何ひとつ見のがさなかった。壁は、高いところはすべて白く塗られ、床から二メートルまでは、黒いタールで塗られていた。窓という窓は、園長室のとおなじようなつや消しガラス、それが格子で固められていた。アントワーヌは、そのひとつをあけてみようとした。だが、そのためには特別な鍵が必要だった。園長は、チョッキのポケットから鍵を出した。アントワーヌは、その黄いろいぽちゃぽちゃした小さな手が、なかなか器用であるのを見のがさなかった。彼は、探偵のような眼差しで、中庭のなかをのぞきこんだ。庭の中には誰もいなかった。木一本あるでなく、ガラスの破片を植えならべた高いへいにかこまれた、そして、踏み荒らされ、かさかさした、大きな長方形の遊歩場があるだけだった。

　フェーム氏は、熱心に、部屋の割りあてについて説明した。自習室、木工室、錠前室、電気室、等……部屋は、すべて小さく、きれいに手入れがとどいていた。食堂では、当番の少年たちが、白木の食卓をふき上げていた。すみにおかれた流しからは、すえたようなにおいが上がってきていた。

「子供たちは、食事がすむと、ひとりひとりあそこへ行って、碗や湯のみやさじなどを洗うことになっております。もちろん、ナイフはぜったい用いません。それにフォークも……」アントワーヌは、ふに落ちないので、じっと彼をみつめていた。彼は、まばたきしながらつけ加えた。「とがったものはいっさい……」

二階には、また別の自習室や工場や、それにシャワーの設備などがつづいていた。シャワーは、そうひんぱんにはつかわれていないらしかった。だが、園長にとっては、それが自慢の種であるらしかった。彼は、腕をひろげ、両手を前に突きだしながら、部屋から部屋を、愉快そうに行ったり来たりしていた。そして、しゃべりながら、機械的な身ぶりで、仕事台を壁のほうへ押しやり、ゆかに落ちていた釘を拾い、栓をしっかりしめ、あるべきところになかったものを、もとのところに整頓していた。

三階は、寝室だった。寝室には二種類あった。その大部分のものの中には、ねずみ色の夜具をかけた十ばかりのベッドが並べられていた。そこには、部屋の中央、細かい金網をつけた檻とでもいったようなものさえなかったら、整理棚が並んでいたりして、まるで兵営の内務班とでもいうようだった。

「あの中に、少年たちを入れるんですか？」と、アントワーヌがたずねた。

フェーム氏は、おびえたような、こっけいじみたようすで両腕を高く上げた。そして、からからと笑いだした。

「ごじょうだんを！　あそこには監督がやすむのでございます。それ、ベッドが、ちょうどまん中のところ、四方の壁から同じ距離のところにすえてございましょう。なんでも見えます。なんでも聞こえます。しかも危険はございません。それに、非常ベルがありましてな、線はゆかの下を通っております」

別の寝室は、入口のところを、まるで動物園の檻のように鉄棒でとざした、ずっと立ち並んだセメント壁の独房から成っていた。フェーム氏は、入口のところで立ちどまった。彼の微笑には、おりおり、ぼんやりした、考えこんだような表情が見られ、それが、血色のいい彼の顔に、仏像のような悲しそうなようすをあたえていた。

「いや先生」と、彼は説明した。「ここは《したたかもの》のためなのでございまして！　つまり、しっかり鍛えなおされるためには、やって来かたの少しおそかった連中のためなのでございます。つまり見込みのある連中ではございません……それに、いささか品行のわるい手合いもおります。いたしかたなく、夜はこうして隔離しておくのでございまして」

アントワーヌは、格子のひとつに顔をよせてみた。すると、薄暗い中に、乱れたベッドや、わいせつな絵とか文句とかのいっぱい書きちらされた壁が見えた。彼は思わずうしろにさがった。

「どうぞごらんくださいませんように。あんまり情けのうございまして」と、園長は、彼のそでを引っぱりながらためいきをついた。「ごらんくださいまし。これが、監督が夜通し行ったり来たりするための中央の通路でございます。ここでは、監督はやすみません。それに電気も消しません。たといしっかり錠をおろしておきましても、わんぱくどもはとんでもないことをしでかしかねないからでございます……じっさい！」彼は首をゆすっていた。そしてとつぜん、目にしわをよせて笑いだした。

悲しげな表情は、すっかり消えてしまっていた。「いろいろなやつがおりまして！」彼は、肩をすくめてみせながら、無邪気なようすで言葉をむすんだ。

目にはいる何から何までに興味をひかれたアントワーヌは、あらかじめ準備してきた質問のことなどすっかり忘れてしまっていた。それでも彼はこう言った。

「処罰のことはどうなっています？　禁固室も見せていただきたいと思うのですが」

フェーム氏は、一歩うしろへさがって、目を丸くした。そして、軽く両手を打ちたたいた。

「とんでもない、禁固室だなんて！　先生、あなたは、ラ・ロケット（かつてパリにあった牢獄）にでもおいでのおつもりではございませんか？　とんでもない、ありがたいことに、ここには禁固室などございません。園則ではっきり禁じられております。大先生にしても、とてもお許しにはなりますまい！」

アントワーヌは、はっとしながら、眼鏡のうしろでまつげをしばだたかせている、皮肉な、しわのよった、小さな目を感じた。彼は、自分がここへ演じにきた疑い深い役割をもてあましはじめていた。その目にふれたものの何ひとつ、そこには、自分の役がらをしっかりやれとはげまし立たせてくれるようなものは見あたらなかった。彼は、ことによると園長が、自分がどういう疑いをいだいてクルーイに来たのかを見破っているのではなかろうかと、はっきりとではないが考えた。だが、それを突きとめることはむずかしかった。それほどまでに、フェーム氏の無邪気さは、そのまぶたのはしに火花を散らしている皮肉なひらめきにもかかわらず、いかにも真実らしいものに見えていた。

園長は、笑いやめながらアントワーヌに近づき、彼の腕に手をのせた。

「ごじょうだんでございましょう？　極端にきびしくした結果がどんなことになりますか、わたくしなどよりご存じのはずでございます。それはけっきょく、反抗とか、ないし、それよりもっと悪いもの、すなわち偽善とかいうようなものになりますので……大先生は、この点について、博覧会のあった年に、パリ総会でりっぱなご演説をなさいました……」

彼は声を低め、特別な共感の思いをこめてアントワーヌをながめた。それはさもアントワーヌと自分とは選ばれた階級を形作っているものであり、自分たちふたりだけが、一般大衆のしばしば陥るようなあやまちをくり返すことなく、こうした教育問題を論議しうるとでも思っているかのようだった。アントワーヌは、いい気持ちになっていた。そして、さらに好意的な印象を深めた。

「なるほど中庭には、ちょうど兵営にもありますように、建築家が、図面の上に風紀室と名づけた小さな建物だけはございます……」

「？」

「……しかし、そこには、石炭のたくわえや、馬鈴薯などを入れてありますだけで。どうして禁固室の必要がございましょう？」と、彼は言葉をつづけた。「説得のほうが、さらに大きな効果をあげますので！」

「なるほど？」とアントワーヌが言った。

園長は、微妙な微笑を浮かべた。そしてふたたび、アントワーヌの前腕に手をのせた。

「ご了解を願っておきます」と、彼は打ちあけて言った。「じつは説得と申しますのは、――このことはすぐお耳に入れておいたほうがいいと思いますが、——それは、これこれという食物をあたえないことでございます。園児たちは、どれもこれもがつがついたしております。年齢のせいでございましょうか？　何もつけないかすかすのパン、先生、こいつはまったくご想像も及ばないほどの説得力を持っております……もっとも、それにも用い方がございまして。つまり説得してやろうと思う少年を、ほかの者と分離しないことがたいせつでございます。いかがでございます、禁固室に隔離したりするのにくらべて、えらいちがいでございましょう？　さよう、つまり、食堂の一隅で、一番ごちそうの出るような食事の時間、たとえばひるの食事といったようなときに、湯気の出るごちそうのにおいをかがせてやり、ほかの連中がうまがっているのを目の前に見せてやり、そして当人には、ひからびたパンの皮でもたべさせてやるのでございまして。これにはかぶとをぬがずにはいられません！いかがでしょう？　この年ごろの少年ですと、もう目に見えてやせていきます！　二週間、三週間、それ以上ということはぜったいございません。手のつけられないような強情ものでも、かならずかぶとをぬいでしまいます。何より説得が第一でして！」と、彼はつぶらな目をしながら言った。「鍛え直すのに、ついぞこれ以外の手を必要といたしませんでした。お預かりした子供さんたちのただのひとりにも、手を振り上げたりいたしませんでした！」

彼の顔は、得意らしさとやさしさに輝いていた。彼はほんとに、そうしたわんぱくどもを、しかも、彼をてこずらせるような連中をさえ、愛しているようなようすだった。

ふたりは下へおりて行った。フェーム氏は時計を出した。

「最後にひとつ、きわめて感動すべき光景をお目にかけたいと存じますが。ぜひ大先生にもお話しいただきましょう。さだめしご満足いただけると思っております」

ふたりは、庭を横ぎって、御堂の中へはいって行った。フェーム氏が、聖水をかけてくれた。アントワーヌは、うしろのほうから、あらいブルーズを着た六十人ばかりの子供たちが、まっすぐ列をつくって、石畳の上にひざまずき、身動きもせずにいるのを見た。赤べりのついた、青ラシャ服を着た、ひげのある四人の監督が、子供たちから目をはなさず、行ったり来たり歩きまわっていた。祭壇の司祭は、ふたりのミサ答えの少年にかしずかれて、ちょうどミサをおわりかけていた。

「ジャックはどこにおります?」と、アントワーヌが低い声でたずねた。

園長は、ふたりのいる上のところ、二階のあたりを指してみせた。そして、つまさき立って歩きながら、戸口のほうへひっかえした。

「弟御さんは、いつも階上の席においでになります」と、外へ出るなりフェーム氏が言った。「おひとりで、と申しますのは、つまりお身のまわりのご用のためにつけてある男と、ふたりきりのことなのでして。どうかご尊父さまに、いつぞやお話し申しあげた、新しい下男をおつけ申したとお伝えください。かれこれ一週間ばかりまえからでございます。以前のレオン爺は、少し年をとりすぎましたし、仕事場の監督のほうがいいだろうと思いました。今度の男は、ロレーヌ生まれの青年で、じつにめずらしい男、軍隊生活をやってきた男で、軍隊では、連隊長の従卒をしておりました。人物については、しっかり調査いたしてあります。弟御さんにしても、散歩にお出かけのとき、いままでほどたいくつなさらずにおすみでしょう。これはしたり、わたくしばかりおしゃべりをしまして。みんな、出てまいります」

犬がはげしくほえはじめた。フェーム氏は、犬をだまらせ、眼鏡をちゃんとかけなおしてから、式庭の中央へ行って立った。

御堂（みどう）のとびらが左右にあいた。子供たちは、三人ずつ、両側を監督にまもられながら、まるで閲兵式とでもいったように、歩調を取り、列を作って歩いていた。誰も彼もが、帽子をかぶっていなかった。そして、運動靴をはいているので、歩いていながら、まるで体操学校ふうの、音をたてない歩き方をしていた。仕事服は小ざっぱりしていて、腹のところを皮のバンドでしめていた。そして、バンドの記章が、日の光をうけて光っていた。年のいっているものは十七、八歳、年のいかないものは十か十一ぐらいだった。大部分の者が、色つやのわるい顔色、目を伏せていて、そこには若さというもののの見られない、おだやかな顔をしていた。全身の注意をこめて注視していたアントワーヌの目には、誰ひとりながし目をつかうもの、皮肉な微笑を浮かべるもの、ないし、陰険な表情をしめしているものが見あたらなかった。それらの少年たちには、少しもしたたかものらしいようすが見られなかった。アントワーヌとしては、彼らが虐待されていないらしいことをみとめないではいられなかった。

その小さな隊列が、階段の上に、長いことにぶい歩調をひびかせながら寄宿舎の中に消えてしまうやいなや、アントワーヌは、《どうです？》と問いたげなフェーム氏のほうをふり向いて、

「りっぱですな」と、言った。

相手はなんとも答えなかった。そのかわり、ぽちゃぽちゃした両手を、まるで、シャボンでもついているかのようにゆっくりこねまわしていた。そして、その眼鏡のうしろでは、得意に輝く目が、感謝の意味をあらわしていた。

中庭に人けがなくなったとき、御堂(みどう)の日に照らされた石段の上に、はじめてジャックが姿をあらわした。

これがはたして彼だろうか？　すっかり変わってしまい、すっかり大きくなってしまっていて、見ているアントワーヌにも、それが弟とはすぐには見わけがつかなかった。彼は、制服をつけていなかった。ラシャの洋服を着、中折帽をかぶり、外套を肩の上にはおっていた。彼のうしろには、年のころ二十歳ばかり、ずんぐりして、髪はブロンド、そして、監督の服をつけていないひとりの青年がしたがっていた。ふたりは石段をおりてきた。ふたりとも、アントワーヌと園長の立っているのに気がつかないというようだった。ジャックは伏し目になって、静かに歩いていた。そして、フェーム氏からわずか何メートルかのところまで来て、はじめて顔をあげ、立ちどまり、おどろいたようすで帽子をぬいだ。その動作には、ぜんぜん不自然なところがなかった。だが、アントワーヌは、あるいはそのおどろきが、わざとなされたものではないだろうかと疑った。だが、ジャックの顔つきは平静だった。そして、微笑を浮かべてはいるにしても、そこには、なんら真実の喜びらしいものがうかがえなかった。アントワーヌは、手を前へ差し出しながら進みよった。弟もまた、うれしそうなようすをみせた。

「ジャック君、思いがけなかったろう？」と、園長が言った。「ところで、ちょっとおこごとを言わなければならないがね。礼拝堂にいるときには、外套を着て、ボタンをかけていなければいけない。二階のほうはさむいし、病気になるおそれがあるから！」

ジャックは、フェーム氏の話しかけるのを聞くと、すぐに兄からくるりとふり向き、さもその言葉の含むあらゆる意味を理解しようとするかのように、うやうやしい、と同時に、ことさら注意をこめた表情で、じっと園長の顔をみつめた。そして、時を移さず、返事もせずに、外套を着た。

「とても大きくなった……」と、アントワーヌはつぶやいた。彼は、あっけに取られたように弟を観察し、そのようすなり、動作なり、顔だちなりのぜんぜん変わってしまったこと、彼の感激を麻痺させずにおかないそうした変わり方を分析していた。

「しばらく、おもてにおいでになってはいかがでしょう、とても暖かですし？」と、園長が言った。「ごいっしょに少し庭をお歩きになってから、ジャック君に部屋を案内しておもらいになったらいかがでしょう？」

アントワーヌはためらった。そして、じっと弟の目をみつめながらたずねた。

「どうだね？」

ジャックには、それがわからないとでもいうようだった。アントワーヌは、ジャックが、こうして、感化院の窓の下にいたくないのだなというように思った。

「いや」と、彼は言った。「きみの……部屋へ行ったほうがいいようだ、ねえ？」

「いずれとも」と、園長は言った。「しかし、そのまえに、もひとつごらん願いたいものがございます。うちの《寄宿生》どもをぜひお目にかけたいと思いまして。ジャック君、きみも来たまえ」

ジャックは、フェーム氏のあとにしたがった。フェーム氏は、両腕をひろげ、まるでひょうきんな小学生のように笑いながら、アントワーヌを、入口の壁によせかけて作ったひさしのほうへ押していった。それは、一ダースばかりのうさぎを入れた小屋だった。フェーム氏は、動物を飼うことに目がなかった。

「ここにある《ひと腹》のやつらは月曜に生まれました」と、たまらなくうれしそうに説明した。「それがもう、ごらんください、ちゃんと目をあけているではございませんか！　どうぞこちらへ。これがてまえどもの雄でございます。それ、こいつ」と言いながら、腕を檻の中へ差し入れ、大きな鉛色のシャンパーニュ種の耳をひっつかんでつるしあげた。うさぎは、はげしくからだを振ってもがいていた。「こいつなぞも、つまり《したたかもの》の部類なのでございまして！」

そこには、なんの悪意もこもっていなかった。そして、無邪気な笑いで笑っていた。アントワーヌは、寝室のこと、鉄棒のついたいくつかのうさぎ小屋からできている、あの寝室のことを思いだした。フェーム氏は、ふりかえった。彼は、わかってもらえなかったもののような微笑を浮かべた。

「や、これは失礼、ひとりでおしゃべりをいたしまして。たしかに、礼儀の気持ちからだけ聞いていてくだすったんでございましょうな？　あ、ジャック君のところへご案内いたしましょう。そして、そこにお残し申すことにいたします。さあ、ジャック君、先へ立って、ご案内をたのむよ」

ジャックは、先へ立って歩いていった。アントワーヌは、あとから追いついて、その肩の上に手をおいた。これが去年マルセーユへ引き取りにいった、あの虚弱な、神経質な、背の低い少年とは、なんとしても考えられなかった。

「きみも、いまでは、おれくらいせいがあるな」

彼は肩においた手を、首のほうへあげていった。首は、まるで鳥の首といったように細かった。手足は、もろくなるほど引きのばされたような感じだった。ぐっと伸びた手くびは、そでから外へ抜け出ていた。ズボンの下からは、ほとんどくるぶしが見えていた。ものごしには、何かしらぎこちなさ、武骨らしさが見うけられ、そこには同時に、いままでまったく見られなかった弾力性、若さといったようなものがうかがわれた。

特別園児のための建物は、本館の建物に付属していた。そこへ行くには、事務所を通らなければならなかった。オークル色に塗られた廊下へ向かって、どれもこれもおなじような五つの部屋が並んでいた。フェーム氏は、ジャックがただひとりの《特別児童》であり、ほかの部屋には誰もはいっていないため、ジャック付きの青年は、ほかの者たちが雑居室に寝ているのとちがって、その部屋のひとつに寝とまりしていることを説明して聞かせた。

「これが、われらの囚人の監房でございまして」と、園長は、ぼってりした指先で、ちょっとジャックをはじいてみせながら言った。ジャックは、ぼんやりしたようすで彼をみつめ、彼を通してやるために身をのけた。

アントワーヌは、むさぼるように部屋をしらべた。それは、質素なホテルの一室といったようだったが、よく手入れがとどいていた。壁には花模様の壁紙がはられ、そして、鉄網・鉄棒つきのすりガラスのはまったふたつの欄間からは、上からではあるが、かなりな光線がはいってきていた。そうした窓は、天井のすぐ下にあけられているためと、一方、部屋自身が高いため、地面から三メートル以上も高いところにあった。日はあたらなかったが、部屋は、本部からの暖房装置（ヒーター）で暖められ、いな暖められすぎてさえいた。家具としては、べい松の衣装箪笥がひとつ、籐ばりの椅子が二脚、それに、書物やら辞書やらをならべた黒いテーブルがひとつ。角型の、玉突き台のようにすべすべした小さなベッドには、まだ人の寝た形跡のない、新しいシーツがのべられていた。洗面器は、清潔な布の上においてあり、タオル掛けには何本かのきれいなタオルがかかっていた。

こうした周到な一瞥の結果、アントワーヌの考え方は動揺せずにはいられなかった。一時間このかた見てきたもののすべては、いままで考えていたことを完全に裏ぎっていた。ジャックは、ほかの子供たちとすっかり離れて暮らしていた。彼は、親しみのこもった尊敬をもって待遇されていた。園長も愉快な人物で、めずらしいほど監督臭を持っていなかった。父の話していたことは、何から何までそのままだった。これを見ては、いかに強情なアントワーヌも、疑いのひとつひとつを切り捨てなければならなかった。

アントワーヌは、自分の上にそそがれている園長の眼差しを感じた。

「なかなか住みごこちがよさそうじゃないか?」彼は、すぐにジャックのほうをふり向いて言った。ジャックは、それにはなんとも答えなかった。そして、外套と帽子をぬぎはじめた。下僕はそれらを受けとると、外套掛けにかけに行った。

「お兄さまが、なかなか住みごこちがよさそうだと言っておいでになる」と、園長は、おなじ言葉をくり返した。

ジャックは、急にくるりと向き直った。そうした彼には、兄として、いままで見たことのなかった礼儀正しさ、しつけのよさがうかがわれた。

「ええ、園長さん、とても」

「あまり大げさに言いすぎてはいけない」と、相手は微笑しながら言った。「じつは非常に簡単なことでございまして。もっぱら清潔ということに気をつけております。それに、おほめいただかなくてはなりませんのは、むしろアルテュールでして」と、部屋つきの下僕のほうを向いてつけ加えた。「それ、このベッドにいたしましても、まるで検閲でも受けるように、きちんと整頓されております……」

アルテュールの顔は輝いた。見ていたアントワーヌは、思わず親しげな身ぶりをしてみせずにはいられなかった。まるまるとした頭、たるんだような顔だち、薄青い目、そして、その微笑や眼差しの中には、誠実らしい、また親切らしいものがうかがわれた。そして、戸口のところに立ったまま、ひげをひねっていた。彼の顔は、ひげがほとんどそれと目だたないほど、日に焼けていた。

《薄暗い地下室の中、がんどうと鍵たばでも持っていそうに想像していた獄卒が、はたしてこの男だったというのだろうか》と、アントワーヌは思った。そして彼は、われ知らず笑いだしながら、書物のほうへ歩みよって、快活そうにそれらを調べた。

「サリュスト(ローマの史家)か？　ラテン語は進歩したかね？」と、彼はたずねた。だが、その顔の上には、ちょっと小ばかにしたような微笑のかげが残っていた。

それに答えたのはフェーム氏だった。

「じつは、ジャック君の前で言うのはいかがと思いますが」と、言いながら、わざとためらうようなようすを見せて、ジャックのほうへ目まぜをした。「ジャック君の勉強ぶりには、先生も満足していることをみとめなければなりません。ここでは、一日八時間勉強することになっております」と、いままでよりもまじめなちょうしで言葉をつづけた。そう言いながら、彼は、壁にかかっている黒板のほうへ歩みより、それを起こした。「しかし、それはそれとして——これはご尊父さまがとても希望しておいでのことなのですが——毎日毎日、天気いかんにかかわらず、アルテュールといっしょに二時間ずつ遠くへ散歩なさることになっております。ふたりとも、なかなか足が達者ですし、道筋は、ふたりで自由に変えてよろしいことになっております。レオン爺のときには、どうもそうはまいりませんでした。あまり歩かなかったようですな。そのかわり、いけがきにそって、薬草を摘んでおりました。そうだったね？　と申しますのは、レオン爺は、若いころ薬種屋の小僧をしておりまして、たくさんな草のラテン名を知っておりました。なるほど、それもためにはなりましたでしょうが、わたくしとしましては、田舎を遠く歩きまわらせたいと思いまして。そのほうが、健康によろしいと思いますから」

フェーム氏が話しているあいだ、アントワーヌは、幾度か弟のほうをふりかえった。ジャックは、まるで夢うつつで聞いているようだった。そして、ときおり、注意しなければと努力しているようだった。そうしたジャックは、何かはっきりしない苦悩の表情で口をあけていた。そして、まつげにはふるえを見せていた。

「これはしたり、わたくしとしたことが、おしゃべりばかりいたしまして。ジャック君と、ずいぶん久しく会っておいでになりませんでしたのに!」フェーム氏は、こう言うと、親しみをあらわす小さな身ぶりをしてみせながら、戸口のほうへすさって行った。「十一時の汽車にお乗りですな?」

アントワーヌは、そんなことなど考えていなかった。だが、フェーム氏の語調には、それがいかにも当然といったような響きが含まれていた。そして、アントワーヌは、こう言いだされた退散のすすめに反対するわけにはいかなかった。それに何より、この場所の物悲しさ、ジャックの無関心なようす、それがどうも気にいらなかった。知りたいことはすべて知ってしまった以上、このうえここにいる必要もないわけだった。

「そうしましょう」と、彼は答えた。「ざんねんですが、早くおいとましなければ。往診の約束がありますので……」

「いや、そのほうがけっこうでございましょう。夕方の汽車までに、それ一本しかございませんから。ではのちほど！」

兄弟は、ふたりきりになった。そこには、気のつまるような一瞬があった。「どうか椅子を」と、ジャックは言って、自分はベッドに腰をかけようとした。だが、もひとつ椅子のあるのに気のついた彼は、思い返してそれをアントワーヌにすすめ、きわめて自然な、さも《おかけなさい》というようなちょうしで、あらためて「どうか椅子を」と、言った。そして、自分も椅子に腰をおろした。

アントワーヌは、すべてをすっかり見てとっていた。そして、すぐに、どうも変だと思って、「いつもは、椅子がひとつしかないのかね！」と、たずねた。

「うん。アルテュールが自分のやつを貸してくれたんだ、授業をうけるときのように」

アントワーヌは、それ以上進んではたずねなかった。

「ほんとに、なかなか住みごこちがよさそうじゃないか」彼は、あらためて身のまわりを見まわしながら言った。そして、さっぱりしたシーツやタオルなどを指しながら、

「こうしたものは、いつも取りかえているのかね？」

「日曜ごとに」

アントワーヌは、いつもの彼とおなじような、はきはきしたちょうしで話していた。だが、響きや

すい部屋のなか、そして、受動的なジャックにたいして、それは何かしらはげしい、ほとんど攻撃的なもののように思われた。

「じつは」と、アントワーヌは言った。「ぼくは、なんというわけもなしに、きみがここで親切な取り扱いをうけていないように思って心配していたんだ……」

ジャックは、びっくりしたように彼をながめた。そして、微笑した。アントワーヌは、弟から目をはなさなかった。

「で、ほんとに、これはふたりきりの話だが、何か不平はないかね？」

「何も」

「ぼくがやって来た機会に、何か園長さんに頼んでもらいたいようなことはないかね？」

「どんなこと？」

「それはぼくが知るもんか。きみが考えてごらん」

ジャックは、考えているようだった。だが、ふたたび微笑を浮かべて、首を振った。

「何もない。ほら、何から何までちゃんとそろってるんだから」

そういう声までが、ほかのすべてとおなじように変わっていた。あたたかい、どっしりしたおとなの声、低くはあるがよくとおる声、そして、少年のからだから出るものとは受けとれないような声だった。

アントワーヌは、じっと弟をながめていた。

「変わったなあ……変わったなんていう言葉さえあてはまらない。別な人、そうだ、まったくちがった人といったような気がする……」

彼は、ジャックから目をはなさず、変わってしまったその顔の中に、昔の面影を見つけ出そうとつとめていた。髪の毛も、たしかに褐色にちがいなかった。少し濃くなり、濃褐色にはなっていたが、あいかわらずピンと立って、はえぎわのあたりも低かった。鼻も昔のまま。細い、形のわるいやつ。唇も昔どおりにひわれていて、ただ、その上にあるかないかのブロンドのうぶげがはえていた。あごは、これまた昔のままのがんじょうなやつで、さらにたくましくなっていた。耳もピンと立っていて、それは、さも口をひっぱり、それを引きのばしてでもいるようだった。だが、これらすべて、そこには何ひとつ、かつての弟を思わせるようなものがなかった。《まるで性根まで変わってしまったようだ》と、彼は思った。《あれほど敏感な、いつもいらいらしていたジャック、それがどうだ、いま見るこの平板な、眠ったような顔つき……あれほど神経質だったジャック、それがいまでは淋巴質（りんぱしつ）の人間になってしまっている……》

「ちょっと立ってみないかね？」

ジャックは、愛想のいい微笑を浮かべて、自分のからだを調べさせていた。だが、そうした微笑は彼の眼差しに、すこしの輝きをもあたえていなかった。ひとみの上には、靄とでもいったようなものがかかっていた。

アントワーヌは腕や足にさわってみた。

「大きくなったなあ！　こんなにめきめき大きくなっては、自分でも、からだが重いような感じがしないかね？」

ジャックは首を振ってみせた。アントワーヌは、その手くびをつかんで自分の前に立たせてみた。そばかすのしみが、まるで濃い色の苗畑のように見えている皮膚、その色つやの悪さに目がとまった。それにまた、下まぶたのあたりに、軽いくまのできているのにも気がついた。

「顔色がよくないな」と、アントワーヌは、ちょっと真剣なちょうしで言った。そしてまゆをよせ、何かほかのことを言いかけて、そのまま口をつぐんでしまった。

とつぜん、ジャックの、観念したような、無表情な面持ちは、さっき彼が中庭に姿をあらわしたとき、ふとアントワーヌの頭をかすめた疑いの気持ちを思いださせた。

「ミサのあとで、ぼくの待ってることを聞かされたんだろうね？」と、彼は、なんのまえぶれもなしに口に出してみた。

ジャックは、なんのことかわからずに、兄をながめていた。

「おまえが御堂(みどう)から出て来たとき」と、アントワーヌは追及した。「きみにはぼくの来ていることがわかってたんだろう？」

「いいえ。だって、どうして？」弟は、無邪気な驚きを見せながら微笑してみせた。

アントワーヌは、しりごみせざるを得なかった。そしてつぶやいた。

「そんな気持ちがしただけなんだ……タバコをすってもいいかしら？」彼は、話を変えようと思ってそう言った。

ジャックは、心配そうに兄を見まもっていた。そして、アントワーヌが、タバコのケースを出してすすめると、

「いいえ。ぼくはだめ」と、答えた。そして、顔を曇らせた。

アントワーヌは、もうなんと言っていいかわからなかった。彼はまるで、返事らしい返事をしない人間相手に話をつづけなければならないときのように、たずねることに疲れていた。

「では、ほんとに」と、彼はつづけて言った。「何もほしいものはないんだね？　必要なものはなんでもあるんだね？」

「ある」

「ベッドもいいね？　かいまきもじゅうぶんあるな？」

「ええ、暖かすぎるほど」

「先生はどうだ？　親切か」

「とっても」

「でも、いつも、ひとりぼっちで勉強していて、たいくつしたりしないかね？」

「いいえ」

「夜は？」

「晩ご飯のあと、八時に寝る」

「起きるのは？」

「六時半の鐘」

「教戒師は、ときどきやって来るのかね？」

「うん」

「いい人かね？」

ジャックは、アントワーヌのほうへ、曇った目をあげた。質問の意味が、はっきりのみこめなかったからだった。そして、なんとも返事をしなかった。

「園長さんもやって来るかね？」

「ええ、たびたび」

「気持ちのいい人だ。みんなから好かれている？」

「知らない。きっとそうでしょう」

「きみ、あの、けっして……ほかの子供たちとは会わないのかね？」

「けっして」

質問のたびごとに、目を伏せるジャックは、さも、ひとつの問題から他の問題へうつるため、何か努力を必要としてでもいるように、軽い身ぶるいを見せていた。

「それから、詩のほうはどうした？　まだ作ってるかね？」アントワーヌは快活なちょうしでたずねてみた。

「いいえ」

「なぜさ?」

ジャックは、首を振ってみせた。そして、柔和な微笑を浮かべた。微笑はすぐには消えなかった。もしアントワーヌにして《きみまだ輪まわしをして遊んでるのかね?》とたずねたにしても、おそらく、おなじ微笑を見せられたにちがいなかった。

さてアントワーヌは、万策つきて、ダニエルのことを話してみようと決心した。それは、ジャックにとって、まったく思いがけないことだった。頬のあたりが赤くなった。

「だって、どうしてぼくが知ってると思う?」と、彼は答えた。「ここには手紙が来ないことになってるんだから」

「だってきみが」と、アントワーヌはせまった。「きみのほうからは手紙を出さない?」

彼は、じっと弟を見すえていた。弟は、さっき、アントワーヌが詩のことを話しだしたときとおなじような微笑を見せた。そして、軽く肩をすくめてみせた。

「みんな、昔のことなんだ……そんな話はよしましょう」

どういう意味なのだろう? もし彼にして《いいえ、ぼくは一度も手紙なんか出しません》と、答えでもしたら、アントワーヌは、弟をきめつけ、うろたえさせてやったにちがいなかった。内心ひそかな快感を味わいながら。つまり彼は、受動的な弟の態度を、もうがまんできなくなりだしていたのだった。ところが、ジャックは問題を避けた。きっぱりと、悲しげな語調で。アントワーヌとしては、もう手も足も出なかった。ちょうどそのとき、アントワーヌは、ジャックの目が、急に自分のうしろ、じっとドアのほうをみつめているように思った。そして、反射的な反感を感じている彼には、あらゆる疑惑が、ふたたびもくもくとわき起こってきた。そのドアは、ガラス張りになっていた。それは、部屋の中でのことを、外から監督できるためにちがいなかった。そして、ドアの上部には、ガラスのない、格子のついたのぞき窓ができていた。これもたしかに、部屋の中での話し声が聞こえるようにと思ってなのだ。

「誰か廊下にいるな?」と、アントワーヌは、荒々しく、だが、声を低めながら言った。

ジャックは、兄が気がちがいでもしたかのように、じっとアントワーヌをみつめていた。

「なに、廊下に? そう、ときどき……でもなぜ? たったいま、レオンじいさんの通ったのが見えたけれど」

ちょうどそのとき、戸をたたく音がした。レオンじいさんが、《お兄さまにお目にかかりに》来たのだった。彼は、親しげなようすで、テーブルのかどに腰をかけた。

「いかがです、なかなかいいお顔色でございましょう? 秋からみますと、ぐっと、せいがおのびになりましたろう?」

じいさんは笑っていた。下向きのひげをはやしたがんこそうな顔つき、人の好さそうな笑いは、頰骨のあたりを充血させ、それを赤い小さな血管でつつみ、その血管は、両眼の白目の中にまで枝をひろげて、その眼差しをはっきりしないものにさせていた。そうした眼差しには、しばしば父親らしい、だが人の悪そうな表情がうかがわれた。

「あっしは、工房のほうへまわされまして」と、じいさんは、肩をゆすりながら説明した。「ジャックさんとも、すっかりおなじみになりましたのに！　と申したところで」と、出て行きしなに言った。「世の中、文句を言ってもはじまりませんや……お気が向いたら、どうか大旦那さまによろしく申しあげてくださいまし。レオン爺（じい）からとおっしゃいまして。よくご存じでいてくださいますよ！」

「いい男だなあ」アントワーヌは、じいさんが出て行ってしまうやいなやそう言った。

彼は話のつぎ穂を見つけたいと思った。

「なんなら、ぼくが手紙をとどけてやってもいいぜ」と、言った。そして、ジャックがのみこめないでいるのを見ると「ダニエル君に、手紙を出そうとは思わないのか？」と、たずねた。

彼は、弟の静かな顔の上に、感動のしるし、過去の思い出とでもいったようなものを執念ぶかくうかがっていた。だが、それもまったくむだだった。ジャックは、今度は微笑のかげすら見せず、首を振ってこれに答えた。

「いいえ、けっこう。言ってやることなんかないんだから。みんな昔のことなんだ」

アントワーヌは、もうそれだけにしておいた。彼はすっかり疲れていた。それに、だいぶ時間もたっていたし。彼は時計を取り出した。

「十時半、と。もう五分すると出かけなければ」

ジャックは、急にあわてて出したようだった。何かしら、言いたいことがあるらしかった。彼は兄に向かって、健康のこと、汽車の時間のこと、試験のことなどをたずねた。そして、アントワーヌは、立ちあがりながら、ジャックが、しんみりして言った言葉のちょうしにうたれた。

「もう？　も少し待って……」

アントワーヌは、弟が、自分の冷淡な態度に、がっかりしたにちがいないと思った。そして、弟は、外見以上に、この訪問を喜んでいるにちがいないと思った。

「ぼくが来てうれしかった？」と、彼は無器用につぶやいた。

ジャックは、うわの空で、何か考えているらしかった。そして、ハッとしたようにとびあがった。そして、ていねいな微笑を浮かべながらこう答えた。

「うん、とてもうれしかった」

「そんなら、またやって来る。では、さよなら」と、アントワーヌは、じれったそうに言った。彼は、もう一度、ま正面から弟をながめた。いま、彼は全身の注意をこめていた。そして、愛の気持ちも動いていた。

「ぼくは、たびたびきみのことを考えるんだ」と、彼は、思いきって口に出した。「ぼくは、いつも、きみがここでふしあわせではないかと心配しているんだ……」ふたりは、戸口のそばに立っていた。アントワーヌは、弟の手を取った。「ねえ、ぼくにはほんとうのことを言うだろうな？」

ジャックは、当惑したようなようすを見せた。彼は、ないしょ話でもしたいといったようにからだをかがめていた。やがて、ようやく決心がつくと、早口に言った。

「ボーイのアルテュールに、何かやってくれるといいんだけど……とても親切なんだから……」そして、アントワーヌが、あっけにとられてためらっているのを見ると、「そうしてくれる？」と、言った。

「だって」と、アントワーヌが言った。「問題にならないかい？」

「だいじょうぶ。帰るときに、やさしくさよならを言ってやって、そして、チップを少しやってほしいの……いい？」その態度はほとんど嘆願してでもいるようだった。

「いいともさ。ところできみはほんとに苦しくない？」

「ちっとも！」と、ジャックはほとんど目に見えないほどのふきげんさで言った。それから、一段と声をひそめて「いくらやってくれる？」

「さあ、いくらやるかね。十フランじゃどうだろう？　二十フランにするか？」

「ええ二十フランね！」ジャックは、すまないといったような、うれしそうなようすで言った。「ありがとう、兄さん」そして、兄の出した手をかたく握った。


アントワーヌが部屋を出ようとしたとき、ちょうど、ボーイが廊下を通りかかった。ボーイは、べつに遠慮もせずに心付けをもらった。そして、あけっぱなしの、まだ少し子供らしいところのある顔を、パッとうれしさに染めてみせた。そして、アントワーヌを、園長室まで案内した。

「十一時十五分まえでございますな」と、フェーム氏が言った。「時間はまだじゅうぶんですが、お出かけになったほうがいいでしょう」

ふたりは玄関をとおった。そこには、チボー氏の像がにらんでいた。いま、アントワーヌは、なんら皮肉な気持ちをまじえることなく、その像をながめていた。彼にはいま、父が、この《仕事》を独力で築き上げたことについて、豪語するだけの理由を持っていることがわかってきた。そして、自分自身、その父の子であることを、いささか得意に感じていた。

フェーム氏は、門のところまで送って来て、大先生によろしくと言った。話しながらも、金縁眼鏡の目にしわをよせ、たえず笑いつづけていた。そして、親しげに、両手の中に、アントワーヌの手を包んでいた。その手は、女の手とでもいったように、ぽちゃぽちゃしていて柔らかかった。やがて、アントワーヌは、フェーム氏の手をふりほどいた。小作りなフェーム氏は、ひなたで、帽子もかぶらずに両手を高くさしあげながら、あいかわらず笑いをたたえながら、友情のしるしに首をふりふり、往来に立って見送っていた。

《おれとしたことが、まるで小娘みたいに興奮していた》と、アントワーヌは歩きながら考えた。《なかなかゆきとどいている。そして、なにしろジャックは苦しい思いをしていないんだ》

《一番愚劣だったのは》と、彼はとつぜん考えた。《それはジャックと友人らしく話すかわりに、予審判事めいた態度をとって時間をつぶしたことだった》彼は、弟が、自分の帰るのを、べつにざんねんとも思わなかったように思った。《もっとも、あいつにも少しの責任がある》と、彼は、不愉快な気持ちでそう思った。《あんなによそよそしくしていたんだから！》だが、何はともあれ、彼として、こっちから一歩切り出さなかったことがくやまれた。

アントワーヌには恋人がなかった。そして、ちょっとしたその時どきのお道楽で満足していた。だが、二十四になる男の胸は、往々にして悩ましかった。弱いものに同情したり、誰かに力を貸してやりたかった。弟にたいする彼の愛は、遠ざかるにつれて大きくなっていった。こんどはいつ会えるだろう？　彼は、ほんのちょっとしたきっかけさえあれば、たちまちひっかえしたにちがいなかった。

暑かったので、彼はうつ向いて歩いていた。頭をあげた彼は、道をまちがえていたことに気がついた。子供たちが、畑の中の近道を教えてくれた。彼は、足を早めて歩いて行った。《万一、汽車に乗りおくれたら》と、彼はじょうだんに考えてみた。《そのときはどうしよう？》彼は、も一度少年園にかえって行ったときのことを想像した。ジャックのそばで、きょう一日を過ごすことにする。そして、自分のいだいていた夢のような懸念のこと、父にないしょでやって来たことなどを話してやる。相手を信頼している、友人としての自分を見せてやる。マルセーユの帰りの馬車のこと、あの晩ふたりが、どんなにいい友だちになれそうだったか、あのときのことを思いださせてやる。と、汽車に乗りおくれたい気持ちがむやみにはげしくなってきて、彼は、どっちにしていいかわからずに、ただ歩度だけをまえよりゆるめた。するとたちまち、機関車の汽笛が聞こえた。左のほう、木立の上に、もくもく煙があがっている。彼は、もう何も考えずに走りだした。停車場が見えだした。切符も持っていることだし、たとい反対側の線路からでも、飛び込みさえすればいいのだった。両ひじをからだにつけ、顔をあお向け、ひげを風になびかせながら、彼は、胸いっぱいに空気を吸った。足には自信を持っていた。たしかにまに合うと思っていた。

だが、彼は、道の勾配のことをわすれていた。停車場へ行くには、道がひとまがりしていて、小さなガードの下をくぐらなければならなかった。彼は足をはやめ、あらんかぎりの力をつくした。だが、それもけっきょくむだだった。ガードの向こうへ出たときには、着いていた汽車はすでに動きはじめていた。こうしてわずか百メートルでみごと乗りおくれてしまった。

負けん気の彼は、この敗北をみとめたくなかった。わざと乗りおくれたものと考えたかった。《乗ろうと思えば、貨車にだって飛び乗れたんだ》と、彼は、しばらくしてから考えた。《こうしていたら、いやおうなしに、つまり、も一度ジャックに会わずに、帰らなければならなかった》彼は満足して、歩くのをやめた。

と、たちまち、さっき考えていたいろいろなことが、はっきりした形をとって心に浮かんだ。宿屋で昼食をたべ、それから少年園へもどって行き、そして、きょう一日を弟といっしょに過ごすということ。

三

アントワーヌが、ふたたび《チボー少年園》の前に立ったときは、まだ一時まえだった。おりからフェーム氏は、出かけようとしているところだった。フェーム氏は、すっかりおどろいて、しばらくのあいだ、眼鏡のうしろに目をきょろつかせながら、化石したように立ちすくんだ。アントワーヌは、自分の失敗を話して聞かせた。それを聞くと、フェーム氏は、はじめてからからと笑いだし、ふたたび例のおしゃべりをはじめた。

アントワーヌは、午後のあいだ、ずっとジャックを散歩につれて行ってやりたいと言った。

「困りましたな……」と、園長は、当惑したように言った。「規則によりますと……」

だが、アントワーヌは、ぜひにと言った。その結果、ついに言い分を通してもらえた。

「大先生には、ひとつあなたからご説明くださいますように……ジャックさんをおつれしてまいりましょう」

「ぼくもいっしょに行きましょう」と、アントワーヌが言った。

彼は、そのことを後悔した。ふたりは悪いところへ飛びこんだのだった。というのはふたりが廊下へ足を踏み入れるやいなや、アントワーヌには、弟が、園で便所とウォーター呼んでいる厠の中に、まる見えになってしゃがんでいるのが見えたからだった。戸は、アルテュールの手によってすっかりあけられ、そして、アルテュールは、その戸にもたれながら、パイプをふかしていた。

　アントワーヌは、急いで部屋へはいって行った。園長は、もみ手をしながら、悦に入ってでもいるようだった。

「ごらんくださいましたか？」と、大きな声で言った。「お預かりしているお子さんたちは、ああしたところまで監督されておりますので」

　ジャックがもどってきた。アントワーヌは、弟がきまり悪そうな顔をするだろうと思っていた。ところが弟は、静かにボタンをかけ、顔にはなんの表情もあらわしていなかった。ふたたびアントワーヌに会えたことの驚きさえも見せなかった。フェーム氏は、六時まで、兄といっしょに外出をゆるすと言って聞かせた。ジャックは、じっと園長の顔を見つめていた。言われた言葉を、はっきりのみこもうとでもいうようだった。だが、何ひとこと、口に出しては言わなかった。

「では、わたくしはこれでごめんこうむります」と、フェーム氏は、笛を吹くような声で言った。「町会の集まりがございましてな。こうみえましても、町長なのでして！」と、戸口のところで、フェーム氏は、吹きだし笑いをしながら言った。それが無上の諧謔とでもいったように。そして、アントワーヌも、まさに微笑させられた。

　ジャックは、ゆっくり着物を着た。アントワーヌも気がついたが、アルテュールは、とてもていねいに着物を着せてやった。さらに、靴までみがいてやろうとした。ジャックは、されるままになっていた。

部屋の中には、けさアントワーヌに愉快なおどろきをあたえたあの整然としたようすも見られなかった。彼は、なぜだろうと思った。昼食の膳は、テーブルの上に載ったままだった。きたない皿、かちコップ、パンのくず。あの清潔なシーツ、タオルなどは、影も形も見せなかった。ただ一枚、ごわごわしたよごれたぼろが、タオル掛けにかかっていた。洗面器の下には、古びた、きたないオイル・クロースが一枚。まっ白なシーツは、地のあらい、しわくちゃなやつにかえられていた。とつぜん、疑いが目をさました。だが、何ひとつたずねようとしなかった。

ふたりが路上に立ったとき、

「さあ、どこへ行こうかな?」と、アントワーヌは快活に言った。「きみは、コンピエーニュを知らなかったな? オワーズ川について行って、三キロと少しだ。行ってみるか?」

ジャックは賛成した。弟は、何かにつけて、兄にさからうまいとしているようだった。

アントワーヌは、弟の腕の下に自分の腕を通した。そして、歩調を合わせた。

「タオルの一件はどうしたわけだね?」と、アントワーヌは言った。彼は、笑いながら、ジャックをみつめていた。

「タオルの一件?」相手は、わからないで聞きかえした。

「そうさ、けさは、ぼくに園の中をほうぼう見てまわらせておくあいだに、きみのところへ、白いきれいなシーツや、新しいきれいな手ぬぐいなんかを入れさせておくだけのひまがあった。ところが、運悪く、まさかと思っていたところへ、ぼくがもどって来たというわけなんだ。そして……」

ジャックは、当惑したような、軽い微笑を浮かべながら立ちどまった。

「まるで、なんとかして、少年園のことを悪くとろうとしているようだな?」やっとのことで、重い、少しふるえをおびた声で言った。そして、それきり口をつぐんでしまった。ふたたび歩きはじめた弟は、そうしたくだらない問題について何か口にするのがたまらないといったように、ほとんどすぐに、努力しながら言葉をつづけた。「兄さんの考えているより、事はずっと簡単なんだ。シーツやタオルは、毎月、第一と第三の日曜に取りかえることになってるんだ。ほんの十日ほどまえからぼく付きになったアルテュールは、まえの日曜にシーツやタオルを取りかえた。そして、きょうは日曜。だから朝、取りかえなくてはならないと思ったんだ。だが、係から、まちがいだったことを聞かされて、きれいなやつを取りもどしにきた。ぼくは、来週でなければ、それをもらう権利がないんだ」彼は、ふたたび口をつぐんだ。そして、畑のほうをながめていた。

散歩は、踏みだしから失敗だった。アントワーヌは、すぐに、なんとかして話のちょうしを変えようとした。だが、ドジをやったなと思う気持ちが頭からはなれず、思ったような、楽な、のんきなちょうしが出てこなかった。アントワーヌが、何か問いかけるようなちょうしになると、ジャックは、ただ「ええ」とか「いいえ」とか返事をした。ぜんぜん興味がないのだった。とうとうジャックはこう言った。

「兄さん、あのシーツやタオルのこと、園長さんに言わないでね。つまらないことでアルテュールがしかられるといけないから」

「いいとも」

「パパにも？」とジャックがつけ加えた。

「誰にも言うもんか。安心するがいい……もう、忘れちまってさえいるんだ。ねえ」と、言葉をつづけた。「ほんとのことを言おうか。じつはね、ぼくには、なぜということはわからないが、どうもここではすべてうまくいっていないで、きみも、しあわせでないように思ったんだ……」

ジャックは、少しからだをふり向けて、真剣なおももちで兄をみつめた。

「ぼくは、午前中かけて、いろいろなことを調べてみた」と、アントワーヌがつづけた。「けっきょく、それはぼくの思いちがいだとわかった。そこでぼくは、汽車に乗りおくれたふりをした。ぼくは、きみと少し話をしてからでないと乗る気になれなかった。わかるね？」

ジャックは、なんとも答えなかった。これからの話の見通しを、弟ははたしてたのしく思っているのだろうか？　アントワーヌには、どうもそのようには思われなかった。そこで、ドジをふむまいと警戒した。そして、そのまま口をつぐんだ。

道は、勾配になって岸のほうへおりていっていたので、ふたりの歩みはおのずから軽快だった。ふたりは、川の支流が運河になっているところまで来た。小さな鉄の橋が、水門の上にかかっていた。

三そうの大きなからの川船が、褐色の船体をそっくりそのまま浮き上がらせて、ほとんど動かずにいる水の上に浮かんでいた。

「船で旅がしてみたくないかね?」と、アントワーヌは快活にたずねた。「ポプラの並ぶ両岸のあいだ、水門のところへ来ると船をとめながら、運河の上を、静かにしずかにすべって行く。靄がかった朝、落日の夕、舳(へさき)のところで、なに思うともなく、足を水の上にぶらぶらさせながらタバコをふかす……ところで、きみはあいかわらず絵をかいてるかね?」

今度はジャックが、きわめてはっきり身をふるわせた。アントワーヌは、弟がたしかに顔をあかくしたように思った。

「なぜ?」弟は、おちつかない声でたずねた。

「なんでもないさ」アントワーヌは、妙に思いながらこう言った。「スケッチをしたら、おもしろかろうと思ったからだ。この三そうの船と、水門と、小さな橋と……」

引き舟路はひろくなって、ちゃんとした道になっていた。ふたりは、オワーズ川の大きな支流のところに出た。水は、満々とふたりのほうへよせてきていた。

「そうら、コンピエーニュだ」と、アントワーヌが言った。

彼は立ちどまった。そして、日の光を避けようと思って、ひたいに手をかざした。はるかな空のなかまっさおな茂みを越して、たばをなした塔の先端、教会のまるい小さな鐘楼が見えていた。アントワーヌは、それらの名を教えてやろうと思ってジャックのほうを見ると、――弟は、自分のそば、おなじように小手をかざして、さも地平のほうをながめてでもいるようだった——ジャックが、じっと自分の足もとをみつめているのに気がついた。弟は、アントワーヌがふたたび歩きだすのを待っているかのようだった。アントワーヌは歩きはじめた。何ひとこと言わずに。

きょうの日曜日には、まるでコンピエーニュの町全部が外に出ているといった感じだった。アントワーヌとジャックとは人波にまじっていた。どうやら徴兵検査があったらしく、晴れ着をきた幾組かの若者たちが、露店商人から幾すじもの三色リボンを買っていた。そして、互いに腕を組みながら、往来せましと、兵営の歌をうたいながらよろめき歩いていた。遊歩場のあたりでは、はでな着物をつけた町の女たちや、兵営を出て来た竜騎兵たちにまじって、幾組かの家族たちが、すれちがいながらあいさつをかわしていた。

とほうにくれたような、沈みこんでしまっていたジャックは、だんだん大きくなってくる不安な気持ちで、それらすべての人々をながめていた。そして、

「あっちへ行きましょう……」と、せがんだ。

ふたりは、遊歩場通りのまん中から、両側を家々でかこまれた、暗い、ひっそりしたのぼり道になった町をたどって行った。パレー広場まで行くと、まるで目もくらむような光景だった。ジャックは、目をしばだたいた。ふたりは足をとめて、まだ陰を落とすまでにはなっていない植え込みのかげに腰をおろした。

「ほら」と、ジャックは、アントワーヌのひざに手をおきながら言った。サン・ジャックの寺の鐘

が、晩禱のために鳴りわたっていた。その響きは、日の光とひとつになってでもいるようだった。

アントワーヌは、少年が、自分でもそれと気がつかず、春になってはじめてのきょうの日曜日の陶酔を味わっているのだろうと想像した。そして、言葉をかけてみた。

「何を考えてるんだね?」

だが、ジャックは、返事をするかわりに立ちあがった。ふたりはだまって、公園のほうへ歩いて行った。

ジャックは、はなやかな風景に、なんの注意もはらっていなかった。彼はもっぱら、人のおおぜいいるところからのがれたい一心のように見うけられた。そして、欄干のついたテラスや、お城のまわりの静けさに心をひかれていた。アントワーヌは、ジャックのあとからついて行きながら、目にはいるもののことを、しばふの緑の上に浮きあがっているよく刈りこまれたつげの木立のことを、彫像の肩にとまっている鳩のことを、話してきかせてやった。だが、それにたいしては、ただ気のない返事だけしかきかれなかった。

とつぜん、ジャックがたずねた。

「兄さん、彼と話した?」

「彼って?」

「ダニエル」

「話したよ。カルティィエ・ラタンで会ったんだ。いま、ルイ・ル・グラン中学の通学生になってるね？」

「へえ？」と、相手は言った。そして、そのあとから、声をふるわせてつけ加えた。「ぼくのいるところ、教えなかったろうな？」そういうふうに声をふるわせるあたり、そこには、かつてしばしば見せたような、あのおびやかすような言葉のちょうしが思いだされた。

「向こうからは何もきかなかった。でも、なぜさ？　知られて困りでもするのかい？」

「うん」

「なぜさ？」

「なぜでも」

「なるほど、それもりっぱな理由だろう。だが、まだそのほかにもあるんだろう？」

ジャックは放心したように兄をみつめた。アントワーヌのからかっているのが、のみこめなかったからだった。ジャックは、にこりともしなかった。そして、ふたたび歩きはじめた。とつぜん、彼は言葉をつづけた。

「そして、ジゼールは？　ジゼールは知ってるの？」

「おまえのいるところをかい？　いや、知ってないと思うな。もっとも、子供というやつはなかなか油断ができないからね……」ジャックのほうで切り出したのを機会に、アントワーヌはさらにつづけた。「あるときは、もう一人まえの娘のように見える。きれいな目を大きくあけて、人の話をじっときいたりして。そうかと思うと、べつのときには、まったくただのねんねえだ。ゆうべなんかも、

《おばさん》が家じゅうさがしているのに、玄関のところで、お人形と遊んでいた。もうじき十一になるっていうのに！」

　ふたりは、藤棚のほうへおりて行った。そして、ジャックは石段の下、ばら色のふのはいったスフィンクスの大理石像のそばに立ちどまった。彼は、その像の、日に輝いた、いいつやをしたひたいのあたりをなでていた。ジゼールのこと、《おばさん》のことでも思いだしているのだろうか？　あの、玄関の古いテーブル、そこに敷いてあったふさべりのついた敷物、また、名刺の散らばっている銀の盆、そうしたものを、ふと思いうかべてでもいるのだろうか？　それにちがいない、とアントワーヌは思った。そして、陽気に言葉をつづけた。

「いったい、どこでいろんなことをおぼえてくるんだろう！　元来、ぼくたちの家は、子供にとってけっして愉快なところじゃない！　《おばさん》は、とてもあの子をかわいがっている。だが、その《おばさん》のやり口は、すべてきみの知ってるとおりだ。《おばさん》は、何から何まで心配する。何から何までのあの子に禁じて、ちょっとのまも自分のそばをはなさないんだ……」

　彼は笑いだした。そして、さも楽しい話相手といったように、弟のほうをながめていた。彼には、あの家庭生活のいろいろなことが、自分たち兄弟にとってそれほどまでになつかしいものであり、ふたりだけに意味のあるものであり、ふたりにとって、いつも唯一無二のもの、すなわち幼い日の思い出を形作っていてくれるもののように思われた。だが、ジャックは、むりにつくった、ちょっとした微笑を見せただけだった。

それにもかかわらず、アントワーヌは言葉をつづけた。

「それに食事のときだっておもしろくない。おやじは、なにひとつ口をきかない。でなければ《おばさん》に、会議でやった演説の蒸し返しをきかせ、その日一日にやったことを、こまごまと話してきかせるのが関の山だ。ところで、あれはとてもうまくいってるぜ、おやじの学士院候補の件は！」

「はあ！」ちょっとした愛情のかげが、ジャックの顔つきをやわらげた。ジャックは、ちょっと考えていたあとで、微笑してみせた。「それはよかった！」

「お友だちが、みんな奔走していてくださるんだ」と、アントワーヌは言葉をつづけた。「司祭さんはすばらしいぜ、なにしろ、四つのアカデミーと連絡があるんだから。選挙は三週間後に行なわれる」彼は、もう笑ってはいなかった。彼は低くつぶやいた。「学士院会員、そんなものはなんでもない。だが、それでいて、やっぱり何かにちがいないんだ。そして、おやじには、じゅうぶんそれになるだけの資格があるんだ。そう思わないかね？」

「思うとも！」そして、ジャックは、すなおにこう言った。「パパはとてもいい人なんだ……しん底……」ここまで言って口をつぐみ、あかくなり、さて何か言葉をつけたしたいと思いながら、けっきょく決心がつかなかった。

「ぼくは、お父さんが、学士院の席にどっかりおさまるのを待って、ひとつクー・デターをやろうと思ってるんだ」と、アントワーヌは、ふたたび元気に言葉をつづけた。「ぼくは、あのはずれの部屋では窮屈すぎるんだ。書物の置き場さえないしまつだ。まえにきみがいた部屋に、ジゼールがはいったことは知ってるね？　ぼくはおやじに言って、下の小さな住まい、あの気どり屋の家を借りさせようと思ってるんだ。あいつは、この十五日にひっこす。部屋は三間。そうすれば、ぼくには診察室ができ、そこで患者との応対ができる。それに、台所には、実験室みたいなものも作れるし……」

彼にはとつぜん、こうしてとじこめられた暮らしをしている弟のまえで、自分の自由な生活のこと、また快適さについての希望などを述べ立てたことをはずかしく思った。彼は、ジャックが、さも二度と帰ってこない人ででもあるかのように、その部屋のことを話したのに気がついた。彼は、口をつぐんだ。ジャックは、またもや無表情なようすにかえっていた。

「ところで」と、アントワーヌは、方向転換のつもりで言った。「おやつをたべに行こうじゃないか？　腹がへったろう？」

彼は、すでに、ジャックとのあいだに、兄弟としての、ほんとの打ちとけた気持ちを回復するあらゆる希望を失ってしまっていた。

ふたりは、ふたたび町へ帰った。人でいっぱいの町々は、まるで蜂の巣をつついたような騒ぎだった。人々は、菓子屋という菓子屋へつめかけていた。ジャックは、往来に立ちどまり、つやつやした砂糖のころもをきせ、クリームのあわを立てた菓子が五段にならべてある前に立って動かなかった。それを見ただけで、息がつまりでもしたようだった。

「さ、おはいり！」と、アントワーヌは微笑しながら言った。

ジャックの両手は、アントワーヌの差しだしてやった皿を手にしてふるえていた。ふたりは、店の奥、えらんだ菓子を山と積んだ前に腰をおろした。ヴァニラのにおい、あたたかいねり粉のにおいが、半びらきになった台所の戸口からにおっていた。ジャックは、ひとことも口をきかずに、椅子の上にぐったり腰をおろし、いまにも泣きだすかと思われるほど目を充血させて、食っていた。そして、食べてしまうと、またアントワーヌが取ってくれるのを待ち、ふたたび食べにかかっていた。アントワーヌは、ポルト（ぶどう酒）を二杯つがせた。ジャックは、ふるえつづけている指先で杯を取った。彼は、それに唇をつけると、ぶどう酒にむせて、せき込んだ。アントワーヌは、弟に気のつかないようなふりをしながら、ちびりちびり飲んでいた。ジャックは、勇気を出してひと口飲んだ。そして、それを、まるで火の玉とでもいったようにのどの奥にころがしこんだ。つづいて、またひと口。やがて、杯一杯の酒を、その最後まであけてしまった。そして、アントワーヌが、二度めの分をついでやったとき、それに気がつかないようなふりをした。そして、つがれたあとで、もうたくさんといったような身ぶりをした。

ふたりが店を出たとき、日は傾き、気温はさがっていた。だが、ジャックは、ひえびえしてきたのに気がつかなかった。頬はかっかと燃えていた。そして、からだじゅうには、陶然とした気持ちがみなぎり、こうしたことになれない彼として、むしろ苦しいほどな感じだった。

「これから三キロ歩かなくっちゃあ」と、アントワーヌが言った。「帰らなければね」

ジャックは、あわや泣きだしそうになっていた。彼は、ポケットの底でこぶしをにぎり、歯を食いしばり、首をたれた。そのようすをこっそり見ていたアントワーヌは、弟の顔のはげしい変化を見てとって、思わずゾッとした。

「歩きすぎてくたびれたかね?」と、彼はたずねた。

そうした兄の声のちょうしに、ジャックは、そこに新しい愛情がこめられているように思った。彼は、ひと言も口がきけずに、ただ、ひきつれたような顔をふり向けた。そして、目には涙をためていた。

アントワーヌは、あっけにとられて、だまってあとからついて行った。だが、ふたたび町をおり、橋をわたり、ふたたび引き舟路に立ったとき、弟のそばへよって腕をつかんだ。

「どうだ、いつもの散歩のほうがおもしろかったんじゃないかね?」と、彼は微笑しながら言った。

ジャックは、なんとも答えなかった。だが、たちまち何時間かまえから彼を酔わせていた自由のいぶき、それにあのポルト、それにまたこのなごやかなもの悲しい夕暮れ……ジャックは、感動をおさえることができなかった。彼は、たちまちしゃくり泣きをはじめた。アントワーヌは、弟のからだに腕をまわし、彼をささえてやりながら、堤防の上、自分によりかからせるようにしてすわらせた。アントワーヌは、もはや弟の生活の暗い秘密をあばこうなどという気持ちは持っていなかった。けさから見せられつづけていた弟の冷淡さが、いまはじめて溶けはじめてくれたことを思って、救われたような気持ちになっていた。

人けのない岸の上に、彼らはふたりきりだった。ゆく水と、それに落日の光のうすれている靄のたちこめた空の下、彼ら以外には人けがなかった。ふたりの前には、一そうの小舟が、鎖につながれたまま水にゆれ、枯れ芦の茎をこすっていた。

帰りには長い道が待っていた。このままこうしているわけにもいかなかった。アントワーヌは、むりにも弟を元気づけてやろうとした。

「何を考えてるんだ！　何が悲しくって泣いてるんだ？」

ジャックは、まえよりさらに、彼のほうへ身をよせた。

アントワーヌは、弟をこうして泣かせることになった言葉を思いだそうとした。

「いつもの散歩のことを思って、それで悲しくなったのかね？」

「うん」なんとか答えなくてはならないので、弟が言った。

「なぜさ？」と、アントワーヌは追及した。「日曜ごとにどこへ散歩に行くんだね？」

それにはなんの答えもなかった。

「アルテュールといっしょに出かけるのが、いやなのかね？」

「うん」

「では、なぜそれを言わないんだ？　まえのレオンじいさんのほうがいいのだったら、わけなく……」

「ううん！」と、ジャックは思いがけなくはげしいちょうしでさえぎった。そして身を起こした。

そこには、いかにもきつい、はじめて見せたうらみの顔つきがしめされていた。アントワーヌは、はっと胸をつかれた。

ジャックは、まるでじっとしていられないといったように立ちあがり、大またに、兄をひっぱって歩きだした。弟は、ひと言も口をきかなかった。そして、アントワーヌは、しばらくようすを見ていたが、少しは不手ぎわでもかまわない、この傷口を切開してやらなければと思って、決然としてこう言った。

「では、レオンじいさんとも出たくないっていうんだな？」

ジャックは、目を大きくあけ、歯を食いしばり、なにも言わずに歩きつづけていた。

「だって、レオンじいさんは、なかなか親切だったんだろう？」と、アントワーヌは、思いつくままに言ってみた。

なんの返事もなかった。彼には、ジャックが、またもや考えこんでしまうのではないかと心配だった。彼は、弟の腕をとろうとした。だが、弟は、それをふりほどいた。そして、足を早めた。アントワーヌは、どうやって弟の信頼を取りもどしていいかわからぬままに、当惑しながら後を追った。と、そのとき、ジャックはとつぜんしゃくりあげた。そして、走るのをやめ、向こうをむいたまま泣きはじめた。

「兄さん、言わないで、誰にも言わないで……ぼく、レオンじいさんとは散歩になんか行かなかったんだ。ほとんど行ったことがなかったんだ……」

弟はだまった。アントワーヌは、何かたずねてみようとした。だが、本能は、彼に、何も言ってはいけないと教えた。はたして、ジャックは、ためらいがちな、しゃがれた声で話しはじめた。

「そう、初めのうちは、歩きにも行った……そして、散歩のあいだに、ぼくに……いろんなことを聞かせてくれた。それから、本を貸してくれた——こんな本があるかと思われるようないろんな本を！　それからぼくに、手紙を出すことを引き受けてくれようと言った……ちょうどそのころ、あのダニエルへの手紙を書いたんだ。ところが、ぼくには切手代がない。するとあいつは、ぼくに少し絵がかけることを見てとっていた。わかるでしょう……あいつ、ぼくに絵の描き方を教えてくれたんだ……そして、それと交換に、ダニエルへの切手代を払ってくれた。だがあいつは、晩になって、その絵をほかの監督たちに見せちまった。そして、ほかのやつらもほしいと言った。しかも、だんだん手の込んだやつを……そして、そのころから、あいつは遠慮しなくなった。そして、散歩にもつれて行かなくなった。畑の中を行くんじゃなくって、少年園の裏手をまわって村をぬけさせた……村の子供たちに追っかけられながら……ぼくたちは、小道をまがって、裏の庭から宿屋にはいった。あいつは、酒を飲んだり、カルタをしたり、いろんなことをしに行くんだ。そして、あいつがそこにいるあいだ、ぼくは、古ぼけた毛布一枚で、洗濯場の中にかくされたんだ……」

「かくされていた」

「うん。ガランとした洗濯場の中に、鍵をかけて、二時間ばかり……」

「なぜまたそんなに厳重にしたんだ？」

「それは知らない。宿屋のやつらがこわがってたから。ある日、洗濯場にほし物があったんで、ぼくは廊下においとかれた。そのとき……おかみが、おかみが言った…」彼は、しゃくり泣いていた。

「なんて言った？」

「《こうした……悪党どもには油断もすきもならない》って」彼は、はげしくしゃくり泣けてきて、先をつづけることができなかった。

「……悪党だって？」アントワーヌは、こごみ込んでくり返した。

「……このきんちゃっきりの……悪党ども……」弟は言いおわって、さらにはげしく泣きはじめた。

アントワーヌは聞いていた。もっと知りたいという好奇心が、同情の気持ちよりも強かった。

「それから？」と、彼は言った。「それからどうした！」

ジャックはぴったり口をつぐんだ。そして、兄の腕にとりすがった。

「兄さん、兄さん」と、彼はさけんだ。「何も言わないって誓って。ね？　ぼくに誓って！　もしパパにわかりでもしたら……パパはいい人なんだ。ねえ、きっとパパが悲しがるにちがいないから。いまぼくたちの知ってるようなことをパパが知らずにいたからって、それはパパの罪ではないんだ……」そして、とつぜん「ああ、兄さん、……行っちまわないで、兄さん、行っちまわないで！」

「いいとも、いいとも、安心するがいい、ぼくはちゃんとここにいる……ぼくは何も言わない。そして、きみのすきなようにしてやるんだ。だが、ほんとのことを言ってほしいんだ」そして、ジャックが、話をつづけたものかどうか決しかねているのを見ると、「あいつ、きみをなぐったりしたかね？」とたずねた。

「誰が？」

「レオンじいさん」

「ううん！」ジャックは、いかにも驚いたように、思わず涙の中からほほえんでみせた。

「誰にもなぐられない？」

「うん！」

「ほんとだね？　けっして、誰からも？」

「うん、誰からも！」

「で？」

沈黙。

「新しくきたやつはどうだ、アルテュールは？　あいつもだめか？」

ジャックは、そうだといったようすをしてみせた。

「え？　では、あいつもカフェーへ出かけるのか？」

「ううん」

「では、あいつとは散歩に出かけるのか？」

「うん」

「では、あいつのどこが悪いんだ？　つらくあたるとでもいうのか？」

「ううん」

「では、なぜさ？」

「なぜでも」

アントワーヌはためらった。

「では、なぜそのことを言わないんだ？」と、彼はようやく言葉をつづけた。「なぜ園長さんのところへ行って言わないんだ？」

ジャックは、その熱っぽいからだを、アントワーヌのからだにすりよせた。そして、嘆願するように言った。

「いけない、いけない……兄さん、兄さんはぼくに誓ったじゃないの、けっして何も言わないって！　けっして何も、誰にも！」

「そうだ、きみの言うとおりにしてやろう。だが、これだけは聞いておきたい。なぜレオンじいさんのことを園長さんに言わなかったんだ？」

ジャックは、歯を食いしばったまま、首を振った。

「では、たぶん園長さんもすっかり知ってて、大目に見ているとでも思ったのか？」と、アントワーヌがさそいをかけた。

「ちがう」

「きみは、園長さんをどう思う？」

「べつになんとも」

「ほかの子供たちは、ふしあわせな目にあわされてると思うかね？」

「ううん。なぜ？」

「見たところは親切そうだ。だが、それだけではわからない。レオンじいさんだって、人のよさそうなようすをしていた！　なにか、園長さんへの不満の声でも聞かなかったか？」

「いいえ」

「監督たちは、園長さんをこわがってるのか？　レオンじいさんやアルテュールは、やっぱり園長さんをこわがってるのか？」

「ええ、少し」

「なぜだろう？」

「ぼく、知らない。きっと園長さんだからだろう」

「ところできみは？　何か気のついたことがあるかね？」

「どんなこと？」

「見まわりにくるとき、きみにたいする態度はどうだ？」

「ぼくにはわからない」

「あの人に、楽な気持ちでは話せないのか？」

「うん」

「ところでだ、もしきみが、園長さんにレオンじいさんは、おまえを散歩につれて行くかわりにカフェーへ行く、そして、きみを洗濯場の中にとじこめておくって言ったとしたら、園長さんはどうしたろう?」

「きっと首にしたでしょう!」ジャックは、おそろしそうに答えた。

「では、なにがきみに、それを言わせないようにしたんだ?」

「だって、そりゃあ……」

アントワーヌは、弟が、どうやらそれにひっぱりこまれていると思われる共謀関係のからくりを、なんとかしてときほぐしてやろうとするのに疲れはてていた。

「なにがきみにそうさせなかったのか、それを話してくれないか? それとも、きみ自身、ほんとに何も知らないのか?」と、彼はたずねた。

「あの……絵があるの……ぼくにむりに……署名させた……」ジャックは、首をたれながらこう言った。ジャックはためらっていた。そして、口をつぐんだ。それからとつぜん「でも、それだけじゃないんだ。ねえ、フェームさんは園長でしょう、だから何も言ってはならないんだ。わかる?」

言葉のちょうしには、力こそなかったが、そこに誠実さがうかがわれた。アントワーヌは、このうえしいてとは言わなかった。彼は、自分自身を警戒していた。彼は自分が、あまりに推測しすぎることと、あまりに手っとり早く推測したがるくせのあることを知っていた。

「せめて」と、彼は言った。「勉強だけはしているのかね?」

ふたりは、水門の見えるあたり、三そうの船のあたりまでやって来た。その小さい窓には、すでに灯（ひ）がともっていた。ジャックは、目を伏せながら歩きつづけた。

アントワーヌは、くり返した。

「では、勉強のほうもだめなのか？」

ジャックは、首をたれたまま、そうだといったようすをした。

「でも、園長さんに聞いたところでは、先生は、とてもきみに満足してるってことだったが」

「それは、先生がそう言ったから」

「だって、もしもそれがほんとでなければ、なんでそう言ったりすることがあるだろう？」

ジャックは、こうした質問にたいして、答えるのに努力してでもいるようだった。

「ねえ」と、弟は力のないちょうしで言った。「あの先生は年よりでね。ぼくに勉強させようなんて思ってないんだ。来いと言われるから来ているだけ。しらべられたりしないことを知ってるんだ。自分も、宿題を直したりしないほうがうれしいんだから。一時間じゅう、おしゃべりをする。ぼくはとても仲よしで、コンピエーニュのことや、生徒たちのことや、何からなにまで話してくれる……あの人も、あんまりしあわせな人ではないんだ……あの人は、ぼくに娘の話をして聞かせる。お腹（なか）にいくつも病気をもってて、そして、あの人の奥さんと、いつも言い争いをするんだって。というのは、あの人のいまの奥さんはのちぞいなんだ。それにまた息子のことも。准尉なんだが、女のために借金をして、階級を下げられたんだって……ノートにしても、勉強にしても、ほんの見せかけだけなんだ。

じっさいは、何もしてはいないんだ……」

弟は口をつぐんだ。アントワーヌは、なんと答えていいかわからなかった。彼は、すでにこれほどまでの人生経験を持っている少年を前にして、ほとんど気おくれさえ感じていた。それに第一、わざわざ聞いてみる必要もなかった。少年は、自分のほうから、単調な、低い声で話しだしていた。こうした混沌の中から、どうして少年にそんな考えを組み立てることができたのか、ないし、あれほどしつこい沈黙のあとで、どうしてとつぜん、こんな打ちあけ話をはじめたのか、なんともなっとくがいかなかった。

「……ぶどう酒だって、うんと水を割ったやつなんだ……ぼくはそれを、やつらのために残しておいてやるんだ。わかる？　最初、レオンじいさんが、ぼくに、それをくれと言った。ぼくは、たいしてほしくもないし、ぼくにとっては、水さしの水だっておんなじなんだ……ただ、いやなのは、やつらがいつも廊下をうろつきまわっていることだ。上靴をはくと、少しも足音が聞こえない。ときによると、ぎょっとするようなことさえある。ううん、べつにこわいわけではない。ただ、何をするにも、見られたり、聞かれたりせずにはできないからだ……いつもひとりでいて、しかもほんとにひとりじゃない。散歩のときでも、どこへ行っても！　なるほど、それはたいしたことではない。それはぼくにもわかってる。でも長いうちには、それがはたしてどんなものか、とても兄さんにはわからないんだ。まるで病気になりそうなんだ……ベッドのかげにかくれて泣きたいと思った日が幾日あったか？　ううん、泣くためじゃない、誰にも見られずに泣くためなんだ。わかる？　けさ、兄さんが来たときだってそうなんだ。ぼくは御堂にいるときに教えられた。園長さんは、主事をよこしてぼくの服装をしらべさせた。そして、ぼくの外套と帽子を持って来させた。ぼくが帽子をかぶらずにいたから……でも兄さん、それはべつに兄さんをだまそうとしてではなかったんだ……そうだ、けっして。つまり、そういう習慣になってるんだ。月曜日、毎月第一月曜日、パパが会議にやってくるとき、やっぱりおんなじことをするんだ。パパを喜ばせようと思って……シーツやタオルにしたっておんなじだ。兄さんがけさ見たやつ、あれは、誰かがやって来たとき、部屋のていさいをつくるため、いつも箪笥にしまってある白い分だ……だからといって、いつもぼくに、よごれたやつしか使わせないってわけではない。かなりたびたび取りかえてくれ、しかも、きれいなタオルがほしいとさえ言えば、すぐ渡してもらえるんだ。つまり誰かがはいって来たとき、きれいに見せるための習慣なんだ……兄さん、ぼく、こんなことを聞かせて悪かった。ありもしないことまで考えさせたりしそうだから。ぼくははっきり言っとこう。ぼくにはなんの不平もないんだ。ぼくにとって、ここの生活もきわめて平穏だし、何ひとつ気持ちをわるくさせられることもない。むしろその反対なんだ。むしろ、その平穏っていうやつがたまらないんだ。わかる？……それに、何ひとつすることがない！　日がな一日しばられていて、しかもすることといったら、何も、そうだ、ぜったいに何もない！　最初のうちは、時間がとても長く長く思われた。兄さんなんかには、とても想像できないほどだ。そのうち、ぼくは時計のりゅうずをこわしちまった。その日から、いくらかましになってきた。そして、だんだん慣れてきた。さあ、なんて言ったらいいだろう。まるで、自分の心の底のほう、ずっとずっと底のほうをながめてでもいるようなんだ……眠ってるのとおんなじなので、べつに苦しいこともない。でも、それでいて、やっぱりつらくってたまらないんだ。わかる？」

弟は、しばらく口をつぐんだ。そして、せきこんだ声で、まえよりずっとつかえつかえ言葉をつづけた。

「それに兄さん、ぼくには、何から何までを言えないんだ……でも、わかるだろう？……ひとりぼっちでこうしていると、しまいには、考えてならないいろいろなことまで考えるようになってくる……とりわけ……たとえば、あのレオンじいさんのこととか、ね……それにあの絵のこととか……じつをいうと、たいくつしのぎの気持ちもあってのことなんだ、わかる？　ぼくは、まえから描いとくようにさえなっちゃった……そして、夜になると考えるんだ……そんなことをしていけないこともわかってる……でも、ひとりぼっちでいると。ああ、ぼく、こんなことをしゃべっちまっていけなかった……後悔しそうな気がするんだ……でも、きょうの夕方、ぼくはとても疲れちゃった……とてもがまんできなくなった……」こう言うと、さらにはげしく泣きだした。

ジャックは、妙にいやな気持ちでたまらなかった。心にもなく嘘をついているような気持ちで、ほんとのことを言おうとすればするほど、ますますそれから遠ざかっていきそうだった。それでいて、彼の話したことには、なにひとつ不正確なことはなかった。だが、言葉のちょうしなり、煩悶についての誇張なり、打ちあけ話の選び方なり、彼にははっきり、自分が、生活についていつわりのすがたを描きだしているように思われた。そしてまた、そうするよりほかにしかたがないこともわかっていた。

道はなかなかはかどらなかった。まだ半分ほど残っていた。時刻はまさに午後五時半。あたりはまだ明るく、川からは靄がたちのぼり、それがあたりの田園の上にひろがり、それをすっかり包んでいた。

アントワーヌは、よろめく弟をささえてやりながら、全身の力をあつめて考えていた。それは、何をなすべきか、ということではなかった。そのための決心はきまっていた。弟をあそこから救い出すのだ！　ところで、彼のさがしていたのは、いかにして、弟にそれを承諾させるかの方法だった。それは、けっしてたやすいことではなかった。そのことを口に出すやいなや、ジャックは、彼の腰にぶらさがり、しゃくりあげて泣きながら、何も言わない、何もしない、と約束したではないかといって責めたてた。

「それはそうさ。ちゃんと約束した。きみの意思に反しては、ぼくは何もしない。だがお聞き。こうした精神的な孤独、こうした懶惰（らんだ）、こうしためちゃくちゃはどうしたことだ！　しかもけさ、ぼくは、きみが幸福だとばかり思いこんでいた！」

「だって、ぼく、幸福なんだ！」いままで訴えていたあらゆることは、たちまちにして消えてしまった。彼にはいま、ただ、押しこめの生活の安穏さ、日々の単調さ、疎懶（そらん）、無拘束、家庭を離れての生活のことだけしか見えなかった。

「幸福だって？　もしきみが、ほんとに幸福だというのなら、それはきみにとってはずかしいことだ！　きみが！　まさか！　ぼくにはきみが、こうした生活に好んでとじこもっていようなんて信じられない。そんなことは堕落だ。それは、自分を白痴にしてしまうことだ。それは、もういままでだけでたくさんだ。ぼくは、きみの承諾なしに、何もしないと約束をした。ぼくはちゃんと約束を守ろう。その点、なんの心配もいらない。しかし、だ。考えてほしい。ふたりして、事の事実を、正面から、冷静に、友だちのような気持ちでながめてみようじゃないか……ねえ、ふたりはいま、りっぱな友だちではないだろうか？」

「ええ」

「きみはぼくを信用するね？」

「ええ」

「だのに？　何をきみはこわがってるんだ？」

「ぼく、パリへ帰りたくない！」

「だって。いままで聞いたあそこの生活にくらべれば、家のほうがずっとましだと思うんだが！」

「ちがう！」

このさけびを耳にしたとき、アントワーヌは、どやしつけられたように口をつぐんだ。

彼の当惑は深まっていった。《くそっ！》もう何を考える気力もなくなってしまった彼は、心のうちにそうくりかえした。時はせまっている。彼は、まるでやみのなかを行くような気持ちだった。ところが、たちまち暗雲がさけた。解決法があったぞ！　瞬間、彼の頭の中にひとつ計画が組みたてられた。彼は笑った。

「ジャック」と、彼はさけんだ。「聞いてくれ、途中で口を出してはいけない！　そうだ、ただ返事だけを聞かせてほしい。いいか。もしとつぜんなにごとか起こって、きみとぼくと、この世にふたりきりになったとして、きみはぼくのところへ来て、ぼくといっしょに暮らそうとは思わないか？」

少年には、すぐにはなんのことかのみこめなかった。

「だって兄さん」と、とうとう少年が口をきった。「どうだって言うの？　パパがいるじゃないか？……」

そうだ、父が行く手をふさいでいた。ふたりの胸の中を、おなじ考えがチラとかすめた。《うまくいくんだがなあ、もしとつぜん……》アントワーヌは、自分の考えとおなじ思いのひらめきを弟の目の中に見いだして、われとわが考えを恥ずかしく思った。

「そりゃあ、もちろん」と、ジャックが言った。「もしぼく、兄さんとだったら、兄さんとだけいられたのだったら、いまとすっかりちがった人間になっていたと思うんだ！　きっと勉強していたと思うんだ……ぼく、きっと勉強する。ぼく、たぶんほんとの詩人になれるだろう……」

アントワーヌは、手まねで押しとどめた。

「まあお聞き。もしぼくが、ぼく以外の誰にも、きみのことについて口を出させないって約束したら、あそこを出てはくれないだろうか？」

「うん……」それは、兄にたいして親しみを見せる必要から、兄を困らせたくないという気持ちからの承諾だった。

「だがね、きみに約束できるかな。ぼくの子供といったように、このぼくに、きみの生活、きみの勉強の陣立てをたてさせ、すべてを監督させてくれるって？」

「ええ」

「よし」と、アントワーヌは言った。そして、口をつぐんだ。彼は、考えこんでいた。彼の思い立ちは、いつもきわめて高飛車で、彼は一度も、その実行について懸念したことがなかった。そして、事実、彼は、それほど執拗に、自分の望むすべてのことを、完全に実行していたのだった。彼は、弟のほうをふりかえって、微笑してみせた。

「ぼくは、夢を見てるんじゃないんだ」と、彼は、微笑をつづけながら、だが決然たるちょうしで言葉をつづけた。「ぼくは、このことについてじゅうぶん責任を持つ。二週間とたたないうちに、いいか、二週間とたたないうちにだ……ぼくを信用するんだ！　きみは、これから、なんのこともなかったように、元気であそこへ帰って行く。そして、二週間とたたないうちに、ぼくは誓って言う、きみを自由にしてやる！」

ジャックは、よくも聞かないで、たちまち愛情がこみあげてくるままに、アントワーヌのからだに身をすりよせた。ジャックとしては、兄にだきつき、からみつき、兄のからだに身をうずめ、兄のからだのぬくみのなかに、いつまでもじっとしていたかった。

「信じるんだ！」と、アントワーヌがくり返した。

彼は、自分がとても元気になり、また高められたような気持ちになった。彼はいま、こんなにも陽気な、こんなにも強い自分自身を見いだすことのできたのがうれしかった。彼は、自分の生活と、ジャックの生活とをくらべてみた。《気の毒なやつ！　この子には、いつもほかの者には起こらないようなことが起こるんだ！》彼は《自分に起こらなかったようなことが》と、言いたかった。彼には、そうした弟が気の毒に思われた。だが、彼はとりわけ、自分がアントワーヌたること、きわめて均斉のとれたアントワーヌ、幸福になるため、大人物になるため、名医になるためじつによくできているアントワーヌ自身たることにいきいきとした快感を感じていた！　彼は、足を早め、快活に口笛を吹きたかった。だが、ジャックは、足を引きずり、まるで疲れきっているようだった。それにふたりは、もうクルーイの村にかかっていた。

「信じるんだ！」と、彼は、わが腕の下にジャックの腕をしっかりはさんで、も一度低くつぶやいた。

フェーム氏は、門の前で、葉巻をふかしていた。そして、遠くからふたりの姿を見るなり、ふたりのほうへ駆けよって来た。

「やあやあ、よかったですな！　いい散歩をなさいましたな！　コンピエーニュ見物においでだったんですな！」そう言いながら、くったくのない笑いをうかべて、両腕を高くあげてみせた。「川ぞいに？　ああ、美しい道ですよ！　いかがです、じつにきれいな土地でしょう？」そして、時計をとり出した。「差しでがましいようですが、もしまた汽車に乗りおくれまいとお思いでしたら……」

「出かけましょう」と、アントワーヌが言った。そして、弟のほうを向きなおった。その声はふるえていた。「さよなら、ジャック」

夜になりかけていた。彼は、逆光線の中に、弟のすなおな顔、伏せているまぶた、遠く地平のほうへぼんやりそそいでいる眼差しを見た。彼は、も一度くりかえした。

「さよなら！」

アルテュールは、中庭で待っていた。ジャックは、園長さんに、さよならが言いたかった。だが、フェーム氏は、向こうをむいたままだった。園長は、いつも晩にするように、自分の手で門のかんぬきをかけていた。犬のほえる声のあいだからジャックはアルテュールの声を聞きつけた。

「さあ、さあ！」

ジャックは、そのあとについて行った。彼は、ホッとした気持ちで自分の部屋を見いだした。アントワーヌのかけていた椅子は、そこ、テーブルのそばにおかれていた。彼は、なおも兄の愛情に包まれていた。彼は、仕事着に着かえた。からだは疲れきっていたが、頭は敏活に動いていた。彼の中には、いつものジャックと別なもの、さらにひとつ、きょう生まれたばかりの、肉体を持たないジャックがいて、それが第一のジャックの行動を見まもり、それを支配しているのだった。

彼は、腰かけていられずに、ぐるぐる部屋の中を歩きはじめた。新しい、そして、たくましいひとつの感情、すなわち、力の意識が、彼を立ちあがらせずにはいなかった。彼は戸口へ歩みよった。そして、ひたいを格子にあて、目を、人けのない廊下のランプにじっとそそぎながら立っていた。息づまるような暖房の空気は、彼の疲労をそそり立てた。彼は、うとうとしかけていた。するとたちまち、ガラス戸の向こうに人影が見えた。二重鍵でしめられていたドアがあいた。アルテュールが、晩食をはこんできたのだった。

「さ、小僧、早くしろ！」

さやえんどうに手をつけるまえに、ジャックは、膳の上から、グリュイエール・チーズのかけらと、水を割ったぶどう酒のコップを取りのけた。

「くれるんだな？」と、アルテュールが言った。彼は微笑を浮かべ、チーズをつまむと、戸口から見えないように、着物簞笥のそばへ行って食いはじめた。ちょうどフェーム氏が、晩食まえに上靴をはいて廊下をひとまわりしにくる時刻だった。そして、多くの場合、その来たことは、通ったあとで、欄間の格子から、むかつくような葉巻のにおいが流れこむことではじめてそれとわかるのだった。

ジャックはさやえんどうの黒い汁の中に、パンを大きくちぎって入れながら、食事をすましかけていた。食いおわったと見るが早いか、

「さあ寝るんだ」と、アルテュールが言った。

「だって、まだ八時にならないのに」

「ぐずぐず言わずに早くしないか！　きょうは日曜だ。仲間の連中がお待ちかねだ」

ジャックは何も言わなかった。そして、着物をぬぎはじめた。アルテュールは、両手をポケットに突っこんで、ジャックをじっとながめていた。アルテュールの、ちょっと動物的な顔、引越し人足そのままのずんぐりしたからだつき、そこには、どこやらに何か優しいところが見えていた。

「おまえの兄きは」と、彼はもったいらしい口調で言った。「なかなか話せる男じゃねえか」そう言って、チョッキのポケットに金をすべりこませるまねをした。そして、にっこり笑うと、あいた食膳をさげていった。

ふたたびアルテュールが帰って来たとき、ジャックはベッドの中にいた。

「もう寝たか？」アルテュールは、そう言いながら、足の先で、靴を化粧台の下に蹴りこんだ。「え、おい、寝るまえに、いろんなものをかたづけといたらどうだ？」そして、ベッドのそばへよると「わかったか？　小僧？……」と言いながら、両手をジャックの肩にかけて、妙な声でげらげら笑った。ジャックの顔は、だんだん苦しくなってくる微笑のためにゆがんでいた。「まくらの下に、何もかくしちゃいないだろうな？　ろうそくもだいじょうぶか？　本もないな？」

アルテュールは、シーツの下に手を突っこんだ。するとジャックは身を振りほどき、壁ぎわにさっととびすさった。アルテュールとしては、思いがけない、おさえるまもないできごとだった。ジャックの目は、憎悪の色にあふれていた。

「やれ、やれ」と、アルテュールは言った。「今夜はいやに気がたってやがる。おれには、言おうと思えば、どんな告げ口だってできるんだぞ……」

アルテュールは、低い声で話していた。そして、その目で、廊下へのドアをうかがっていた。やがて、ジャックのほうへは目もくれず、監督のため、夜通しともすことになっているケンケ・ランプに火を入れると、合鍵を出して電気のスイッチをしめ、口笛を吹きながら出て行った。

ジャックは、鍵が鍵穴の中で二度まわり、アルテュールが廊下にスリッパを引きずりながら遠ざかっていくのを聞いていた。彼はベットの中央にかえり、両足を長々とのばしてあお向けに寝た。歯がちがち鳴っていた。彼はいま、あらゆる信頼から見すてられていた。きょう一日のこと、自分のした打ちあけ話のことを思いだすと、なんともたまらない腹だたしさがこみあげ、さらにあとからは、絶望感にかきむしられていたのだった。彼の目には、パリ、アントワーヌ、家、口論、勉強、家庭的平和などのことなどがちらと浮かんだ……ああ、とんだ失策をやってのけた。われから進んで敵にわが身を渡してしまった！　《だが、彼らは、いったいおれをどうしようというんだろう？　このおれを、いったいどうしようというんだろう？》ジャックは涙を流していた。彼はいま、アントワーヌのああしたなぞのような計画など、とても実現するはずがない、チボー氏が反対するにきまっている、といった考えにかじりついていた。彼には、自分が父によって救われるだろうといったように思われた。そうだ、すべては失敗するにちがいない。そして自分は、そっとしておいてもらえるだろう。ここに、このままにしておいてもらえるだろう。ここ、ここには孤独があり、無為があり、安らぎの中に見いだされる幸福がある。

天井では、豆ランプの火影が、彼の頭の上をくるくるまわっていた。
ここには、安らぎがあり、幸福がある。

四

階段の薄くらがりの中で、アントワーヌは父の秘書のシャール氏とゆき会った。ちょうどねずみのように壁にそってすべって行くところだったが、アントワーヌを見ると、おろおろした目で立ちどまった。

「ああ、あなたでしたか？」彼は、家の《大将》から、こうした言い方を学んでいた。「とんだ情報で！」と、彼はささやくように言った。「大学派の連中が、文学部長を候補に押し立てました。これで少なくとも十五票はくるいましたな。法曹家のをあわせると、二十五票はちがいましょう。え？これがいわゆるまが悪いというやつなんで。いずれ先生からおききになりましょう」彼は、臆病であることから、たえずせき込んでいた。そして、自分では慢性カタルと思いこんで、朝から晩まで、パスチーユをしゃぶっていた。「では失礼。母が心配しておりますから」彼は、アントワーヌが、何も返事をしないのを見てそう言った。そして、時計を出し、時間を見るまえにまず音をきき、外套の襟を立ててから、姿を消した。

七年以来、この眼鏡をかけた小男は、毎日チボー氏の仕事をてつだっていた。そして、アントワーヌは、最初会ったとき以上に、ほとんど彼というものを知らなかった。口かずが少なく、低い声で話し、同意語をいくつも並べて、ただ、ありふれたことを口にするにすぎなかった。彼は、母と暮らしていた。そして、母にたいしては、じつに感心な親孝行らしかった。いつでも靴を鳴らしていた。名はジュル。だが、チボー氏は、自分自身をもったいぶって見せるために、この秘書を、《シャール氏》という名で呼んでいた。そして、アントワーヌとジャックは、彼に《ゴム玉》ないし《たいくつ型》というあだ名をつけていた。

アントワーヌは、ずんずん父の書斎へはいって行った。父は、ちょうど寝室にはいろうとして、机の上をかたづけていた。

「おまえか！　とんだことになったわい！」

「ええ」と、アントワーヌがさえぎった。「シャール氏から聞きました」

チボー氏は無愛想なようすで、カラーからあごをつき出した。父は、自分の言おうとしていることを、すでに人に知っていられることがきらいだった。いまのアントワーヌは、そんなことなど忘れていた。彼は、自分の用件のことだけを考えていた。そして、自分がはやくも気おくれしだしているのを感じていた。彼は、あやういところでそれに気がついた。そして、そのまま突進した。

「じつは、ぼくも、とんだ知らせを持ってきました。ジャックは、もうクルーイにおくわけにいきません」彼は、ひと息ついた。そして一気に言ってのけた。「ぼくは行ってきました。彼に会いました。打ちあけ話を聞きました。じつにけしからん事実を発見しました。そして、そのお話しにあがったのです。彼を至急あそこから出さなければなりません」

チボー氏は、しばらくのあいだ、石のように動かなかった。おどろきは、ただ言葉の中だけにうかがわれた。

「おまえが？……クルーイへ行った？……おまえが？　いつだ？　何をしに行ったんだ？　わしに何も言わずにか？　おまえ、気でもちがったのか？　わけを聞こう」

難関を、ただひと飛びに突破したアントワーヌは、気が楽になったとはいうものの、まだぎごちなく、とても口などきけそうになかった。息づまるような沈黙がつづいた。チボー氏は目をあけていた。そして、それは、意思と無関係といったように、ふたたび静かにとじられた。それから父は腰をおろすと、両のこぶしを机の上においた。

「わけを聞こう」と、父はつづけた。そして荘重に、ひと言ふた言をきざむように言った。「おまえ、クルーイへ行ったと言ったな？　それはいつのことだ？」

「きょうです」

「何？　誰と行った？」

「ひとりでです」

「で……入れてもらえたか？」

「もちろんです」

「で……弟にも会ったのか？」

「弟と、一日いっしょにすごしました。ふたりきりでいました」

アントワーヌには、言葉じりを響かせるという挑戦的なくせがあって、それがチボー氏の怒りをそそり立てた。だが、父は、慎重にしたほうがいいと思った。

「おまえはもう子供ではない」と、チボー氏は、アントワーヌの声を聞いて、はじめてその年を知りでもしたように言った。「わしに無断でそうしたことをやるのがふつごうであることくらい、おまえにもわかっているはずだ。わしにだまってクルーイへ行くについて、何か特別な理由でもあったのか？　弟から、手紙でもきたのか？　来てくれとでも言ってきたのか？」

「いいえ。とつぜん、変に思ったからです」

「変だと？　何を変に思ったのだ」

「すべてです……矯正方法について……八カ月このかた、ジャックがそれに従わされている矯正方法の結果についてです」

「き、き、きさまは、じつに驚きいったやつだ！」父は、これと思う言葉をえらぶため、言いよどんでいた。それは大きな手を、しっかり握りしめていること、頭をしきりに前へつき出していることからうかがわれた。「父親にたいして……そんな……疑いを」

「誰にしたってまちがうことはあり得ます。たとえばこれがりっぱな証拠です！」

「証拠だと？」

「ねえ、お父さん、おおこりになることはありません。ぼくたちは、ふたりとも、おなじ目的、すなわちジャックのためを思ってやっていると思います。ぼくが会ったとき、彼がどんなに情けないありさまだったかおわかりでしたら、お父さんは率先して、ジャックを一日も早く少年園から出すようになさるだろうと思います」

「ならん！」

アントワーヌは、つとめてチボー氏の嘲笑に耳をかすまいとした。

「ちがいます」

「ならん、と言うのだ！」

「お父さん、もしあなたが……」

「おまえ、ことによるとこのわしをばかとでも思っているのではないかな？　わしが十年以上もまえから毎月見まわりに行っており、あとで報告を出させているあのクルーイでどんなことが行なわれているか、それを知るため、わざわざおまえの報告を待っていたとでも思っているのか？　あそこでは、何ひとつ、このわしがその議長をつとめている会議にかけたうえでなければきめないのだ。いいか？」

「お父さん、ぼくがあそこで見てきたのは……」

「もう、そのことはたくさんだ。弟が、口から出まかせのでたらめをならべたのだ。おまえ相手だったらうまくいこう。だが、相手がわしだと話がちがうぞ」

「ジャックは、何も不平など言っていませんでした」

チボー氏は、びっくりしたようすだった。

「では、なんで?」と、言った。

「むしろその反対です。その点が一番重要なのです。彼は、自分が安らかに暮らしていると言っています。自分は幸福だ、あそこが気に入っているとさえ言っています!」そしてチボー氏がちょっと満足そうな笑いを浮かべたのを見たアントワーヌは、しんらつなちょうしで言ってのけた。

「ジャックは、かわいそうに、家庭にたいしてたまらない思い出を持っているので、それでむしろ牢獄をえらんでいるのです!」

だが、その攻撃はまとをはずれた。

「けっこうだ。つまり、わしも同意見だ。で、それをおまえはどうしろと言うのだ?」

これではジャックを自由にしてやることがおぼつかないと思ったアントワーヌは、いまさら父に、弟から聞いたすべてを話してやる気にならなかった。彼はただ、一般的な不満だけにとどめておいて、ほかのいっさいを伏せておく決心をした。

「お父さん、ぼくはほんとのことをお耳に入れましょう」と、彼はチボー氏の上に注意ぶかい眼差しをそそぎながら話しはじめた。「ぼくははじめ、必要な物がなかったり、虐待や、禁固などがありはしないかと疑っていました。ところで、ぼくにはわかりました。幸いにして、それら、すべては根拠のない推測でした。ところがぼくは、ジャックの生活の中に、そんなことより百層倍も有害な、精神的貧困というものを発見しました。彼のため、孤独が薬だなんていうものがあったら、それは、あなたをだましているのです。そうした薬は、病気自身にくらべてさらに危険です。彼の毎日は、じつに有害な懶惰(らんだ)のうちにすごされています。あの子の先生、ああ、その話はやめましょう。事実として、ジャックは何もしていないのです。そして、彼の知能は、あきらかに、もうわずかの努力にも堪えないようになっています。このうえ苦しめつづけることは、とりもなおさず、彼の将来を永久にだいなしにしてしまうことです。あの子は、ぜんぜん無気力状態に落ちこんでいます。あの子は、ぜんぜん、弱りきっています。もしこのさき数カ月、あの麻痺状態の中にほうっておいたら、永久に健康を回復させることができなくなります」

アントワーヌは、じっと父を見まもっていた。そして死んだような父の顔から、なんとかして承認の光をつかみとろうと、眼差しの力をひとつにあつめ、まるでのしかかってでもいるようだった。チボー氏は、からだをまるめて、どっしり動かなかった。そうしているときの父は、動かずにいるかぎり、まるで力をかくしている厚皮動物とでもいうようだった。とりわけ、平べったい大きな耳、ちらちら光るずるそうな目つき、それが象にそっくりだった。

アントワーヌの申したてを聞いて、父は安心した。少年園には、いままでにも、何かとくさい種がないでもなかった。解雇の理由を公にしないで、首にした監督も幾人かいた。そして、チボー氏は、アントワーヌの言いだすことがそうした種類のものではあるまいかと、ちょっと心配していたのだった。父は、ホッと息をついた。

「それをわしが知らんとでも思っているのか？」と、彼は、人のよさそうなようすで言った。「おまえの言うことは、すべて、おまえの生まれつき持っている義侠的精神をしめすところのものだ。だが、わしは、心の底から言わせてもらおう。矯正ということはとても複雑なものなのだ。そして、これは、きょうあすにといってできるものではない。わしの経験、それに専門家どもの経験を信じてもらおう。おまえは、彼が弱っているという。麻痺状態にある、という。けっこうだ！ おまえは、弟がどんな人間だったか知ってるな。あれほど悪へ向かっていた意思を打ちくだくためには、まずその意思をすりへらしてやる必要がありはしまいか？ 悪癖のある子供を徐々にすりへらしていくということは、それは、悪しき本能をすりへらすことにほかならないのだ。こうして、はじめて目的を達し得られる。これが実際の経験の教えるところだ。見るがいい、弟は変わってはいなかったか？ このごろでは、もうけっしておこらない。規律だっていて、そばへよるものに、とてもていねいだ。おまえ自身も言っていたな、彼がすでに、新しい生活の秩序や規則正しさを愛するようになっていた、と。どうだ、一年にもならんうちにこうした結果が得られるとは、ちょっと自慢できはしまいか？」

父は、そのぼてぼてした指にはさんで、あごひげの先を引きのばしていた。そして、しゃべりおわると、ちょっと流し目で息子のほうを見た。その朗々とした声といい、荘重な口調といい、それは、彼の片言隻句に何かしら力がこもっている感をあたえていた。そして、いつも父におされつけていたアントワーヌとしては、内心大いにたじろいでいた。だが、ここでチボー氏は、図にのりすぎて失敗した。

「第一わしには、現在少しも問題になっていない、また将来もけっして問題にならんような懲戒の妥当性について、このわし自身、なぜ弁解の必要があるのかまったくわからん。わしは、わし自身、しなければならんと思ったことを、誠心誠意やっている。そして、誰にも口だしをゆるさんのだ。わしはもう、二度と言わんぞ」

アントワーヌは、憤然とした。

「お父さん、そんなことくらいでは黙りません！　ぼくはくりかえして言います、ジャックをクルーイにおいてはいけません」

チボー氏は、ふたたび辛辣な微笑を浮かべた。アントワーヌは、つとめて自分をおさえていた。

「そうです、お父さん。ジャックをあそこにほうっておくのは罪悪です。あの子は、だいなしにさせてやってはならないねうちを持っています。お父さん、言わせてください。あなたはたびたび、あの子の性格について誤解しておいでした。あの子が、あなたをじりじりおさせするとき、あなたはそこに……」

「何がそこに、だ？　わしらは、彼が出て行ってから、はじめてここで静かに暮らせるようになった。ちがうか？　そうだ、あいつがりっぱに矯正されたら、そのときは、帰ってこさせることも考えよう。それまでは……」父のこぶしは、それをふたたび全重量で打ちおろすためといったように高く上げられた。だが、彼は、ふたたびその手をひらき、平らな手のひらを、そっと机の上にのせた。父の怒りは、内攻していた。ところが、アントワーヌのそれは爆発した。

「お父さん、はっきり申しあげます。ジャックをクルーイにおいてはいけません」

「ほほう……」とチボー氏は、ひやかすようなちょうしで言った。「おまえちょっと忘れてはおらんか、おまえに全権はないのだぞ」

「そうです、忘れてはいません。だからこそうかがっているのです、あなたがどうなさるおつもりかを」

「わしか？」と、チボー氏は、ゆったりつぶやいた。そして冷たい微笑を浮かべてから、一瞬まぶたを薄めにあけた。「もちろんのことだ。わしの許諾なしにおまえを入れたことについて、みっしりフェーム氏をしかってやる。そしておまえには、今後断じてあそこへの出入りを許さん」

アントワーヌは腕を組んだ。

「では、お父さんのパンフレットや講演はいったいどういうことになります？　あの美辞麗句はどうなります！　なるほど会議の席ではなんとでもおっしゃれましょう！　だが、ここに一個の知能がおぼれかけているとき、たといそれがわが子の場合であろうと、そんなことはどうでもいい、うるさいことはまっぴらだ、事なく暮らしていければいい、なるべきようになるものだと、それがあなたのお気持ちですか？」

「身のほど知らずめ！」と、チボー氏はさけんだ。そして、彼は立ちあがった。「いずれそう出ることと思っていた！　ずっとまえから、わしが予期していたことなのだ。食事のときにおまえの口からもれる言葉、おまえの本、おまえの読む新聞……義務をつくすにあたっての冷淡さ……それらのあいだにはすべて関連性がある。宗教心の放棄、やがて精神上の虚無思想、そして最後は革命だ……」

　アントワーヌは肩をゆすった。

「事を複雑にしますまい。問題は彼です。焦眉の急を要します、お父さん、約束してください、ジャックを……」

「今後ぜったいに彼のことを話すことをゆるさん！　いいか、わかったか？」

　ふたりは互いににらみ合った。

「それが最後のお言葉ですか！」

「行け！」

「お父さん、あなたは、ぼくというものをご存じないのです」アントワーヌは、挑戦的な笑いを浮かべながらつぶやいた。「誓って言います、ジャックを牢獄から出してみせます！　そして何ものたりとも、断じてじゃまだてさせません！」

　父親は、とつぜんこみあげてきた怒りとともに、歯を食いしばり、息子のほうへ歩みよった。

「出て行け」

　アントワーヌは、すでにドアをあけていた。彼は、しきいのところでふり返ると、うめくような声で言った。

「何ものたりとも！　たといぼく自身、ぼくの新聞に、攻撃の筆をとらなければならなくなろうと！」

五

ひと晩じゅう一睡もできなかったアントワーヌは、翌日、早くから、大司教館の納室の中で、ヴェカール神父がミサを終わるのを待っていた。司祭にすべてを知ってもらい、口をきいてもらわなければならない。ジャックのため、ほかに方法はないのだ。

ふたりの話は長くつづいた。司祭は、まるで告解のためといったように、青年を自分のそばにかけさせた。そして、いつもの習慣で、上体をうしろへそらし、首を左肩のほうへかしげながら、一心に聞いていた。司祭は、一度も言葉をはさまなかった。青白い皮膚、高い鼻、彼は、ほとんど無表情といってよかった。だが時おり、言葉の背後にあるものをさとろうとするかのような、やさしい、しんぼうづよい眼差しをアントワーヌの上にそそいでいた。彼は、アントワーヌにたいし、家族のほかの者ほど親しくしてはいなかったが、いつも特殊な尊敬をもってたいしていた。おもしろいことに、この点、司祭はチボー氏に影響されていたわけで、チボー氏の虚栄心は、アントワーヌの行動にたいしてきわめて敏感であり、彼は好んで息子の自慢をしていたのだった。

アントワーヌは、なにも巧みな論理によって司祭を説きふせようなどとはしなかった。彼は、自分がクルーイで過ごし、そして、父との論争によって幕をとじた一日のことをくわしく話してきかせた。父との論争については、司祭は、何ひとこと口に出さず、ほとんどいつも胸の高さにあげつづけにしている両手に物を言わせて、それはおもしろくなかったといったような意味をしめした。司祭らしいふたつの手。まるい手くびのところからぐったりたれ、そのままの位置で、とつぜん生きいきと動きだすところ、まるで自然が、顔にあたえなかった表情を、この手にあたえているとでもいうようだった。

「ジャックの運命は、いまあなたのお手の中にあります」と、アントワーヌは言葉を結んだ。「父を説きふせることのできるものは、あなたをおいてありません」

司祭は、なんとも答えなかった。そして、アントワーヌのほうへ、いかにもさびしげな、いかにも気のないような眼差しをおくった。青年は、それをどう考えていいかわからなかった。そして、自分の無力と、また自分の計画の前途に横たわる非常な困難を感じていた。

「それから?」と、司祭はおだやかにたずねた。

「それから?」

「かりにお父さまが、ジャック君をパリへ呼びかえされたとする。さて、それからをどうしますね?」

アントワーヌは当惑した。彼は、自分としての計画を持っていた。だが自分には、それをどう説明していいかわからなかった。それほど彼には、その方針を司祭にのみこませることがむずかしく思われていた。それはつまり、家庭を離れるということだった。ジャックと自分が、階下の部屋に住むことにするのだ。弟を、ほとんど完全に父の権力から引きはなしてやるのだ。自分ひとりで、弟の教育の指導、勉強の見張り、行状の監督を引き受けるのだ。この話を聞かされたとき、司祭は微笑を浮かべずにはいられなかった。だが、その微笑には、なんらの皮肉らしい影は見えなかった。

「えらいことを引き受けようと言われますな」

「ええ」と、アントワーヌは熱意をこめてそれに答えた。「ぼくは、弟にとって、とても大きな自由が必要だと信じています！　拘束されていては、彼は断じて伸びることができないと思います！　お笑いになりたければお笑いください。しかし、ぼくはあくまで確信しています。もし、ぼくだけがあれの世話をすることになりましたら……」

彼は、司祭から、も一度かぶりを振ってみせられ、それにつづいては、はるかなところからくるような、そして底の底まで見通すような、じっとした、刺すような眼差しをしめされたにすぎなかった。アントワーヌは、失望して帰って行った。父にはげしく拒絶されたあと、いままたこうしたたよりない司祭のあしらい、彼にはほとんど希望が持てなかった。だが、もし彼にして、司祭が、その日すぐにチボー氏に会いに行こうと決心したことを知ったとしたら、さだめしびっくりしたにちがいなかった。

司祭は、わざわざ出かけるまでもなかった。

毎朝ミサのあとでの習慣にしたがい、大司教館からひとまたぎのところ、自分が妹といっしょに暮らしている住まいに、彼がいっぱいの冷たい牛乳を飲もうと思って帰ってきたとき、彼は、食堂で自分の帰りを待ちうけているチボー氏の姿をみとめた。チボー氏は、椅子にぐったり腰をおろし、両手をひざの上におき、まだ怒りに燃えていた。そして、帰ってきた司祭を見るなり、立ちあがった。

「お帰り」と、チボー氏はつぶやくように言った。「とつぜんうかがってびっくりされましたかな？」

「いや、べつに」と、司祭が答えた。時おり、その静かな顔を、ひそやかな微笑の影、ないし皮肉らしい眼差しのひらめきが輝かしていた。「わたしの警察網はきわめて完全でしてな。何から何まで知っております。ちょっと失礼」こう言いながら、司祭は、自分を待っている牛乳の碗のほうへ寄っていった。

「知っておられる！　では、ことによると？……」

司祭は、牛乳をちびりちびり飲みつづけていた。

「アスティエさんの形勢については、きのうの朝、すでに侯爵夫人からうかがいました。だが、あなたとの競争を断念されたことは、ようやくゆうべになって聞きました」

「アスティエの形勢と言われる？　では……わしにはわからん。わしは何も知らんのですが」

「あろうことか?」と、司祭が言った。「では、この吉報は、わたしの口からはじめてお伝えするというわけですな」彼は、ちょっとまをおいた。「いいですか、アスティエさんは、こんどで四度めの発作を起こされました。こんどはいよいよだめですわい。そこで、あの文学部長もばかではない。候補を辞退されたのです。そして、精神科学翰林院(アカデミー・デ・シャンス・モラル)の選挙を、あなたのひとり舞台にしてくれたのです」

「文学部長が……辞退した?」と、チボー氏は、つぶやくように言った。「だが、いったいどうして?」

「つまり、考えてみたというわけですな。文学部長としては、自分にはむしろアカデミー・デ・ザンスクリプシヨンのほうが向いている。あなたと争ってドジを踏むより、もう四、五週間待って、無競争の椅子にすわったほうが、という腹なんですな!」

「それはたしかですか?」

「公式にきまったことです。昨晩、カトリック大学の集会で、アカデミーの常任秘書に会いました。文学部長は、自身辞退の書面を持って見えたということでした。つまり、わずか一日にもたりない立候補でした!」

「そうなると……!」と、チボー氏は、聞きとれないほどの早口で言った。彼は、驚きと喜びに息を切らしていた。彼は、腕を背中へまわしたまま、ふらふらと数歩あるいた。そして、司祭のそばへ歩みより、あわや両肩をつかもうとした。だが、彼は、両手を取るだけにした。

「おお、わしはけっして忘れませんぞ。ありがとう、ありがとう」

このあまりにも大きな幸福に、ほかのことは、すべて押しやられてしまったかたちだった。いまは、怒りも、どこかへ忘れられたかたちだった。

「ところで、こんなに早くなんのご用でお出かけでした？」

いつのまにか司祭に書斎へつれこまれ、そして、きわめてなんでもないちょうしでこう切りだされたチボー氏は、はたしてなんと答えたものか、あらためて思いださなければならなかった。

彼は、はじめてアントワーヌのことを思いだした。そして、一瞬にして、ふたたびその興奮を取りもどした。そうだ、長男にたいして、どうした処置を取ったらいいか、その相談に来たのだった。近ごろ、長男は目に見えて変わってきた。そして、懐疑と反抗の精神に動かされているものとしか思われない。せめて、宗教上のつとめだけでもつづけていてくれることか？　せめて日曜のミサにだけでも来ていることか？　患者を口実に、家の食事にも、だんだん顔を出さなくなった。顔を出しても、その態度は昔とは大かわりだ。いつも自分に反抗する。とんでもない思想を述べたてる。ついこのあいだの市会選挙のときも、あまりむちゃな議論をするので、相手が子供ででもあるように、つい、だまれと言わずにはいられなかった。要するに、アントワーヌに正しい道を踏みはずさせまいと思ったら、至急なんらかの処置を講じなければならない。そして、そのためには、なんとしてでもヴェカール神父の援助なり、あるいは口ききを必要とする。チボー氏は、その一例として、アントワーヌがクルーイへ出かけるという気ままなふるまいをやってのけたこと、そして、とほうもない憶測をいだいて帰ってきたこと、その結果として、言語に絶する事件のあったことを話してきかせた。それでいながら、アントワーヌにたいする尊敬の気持ちは、彼の非難しているかって気ままな行動のため、彼自身も気がつかずにかえって大きくなってきているのが、その言葉のはしばしにうかがわれた。司祭もそれに気がついた。

司祭は、らくなかっこうで机の前に腰をおろし、その胸飾りの両側にあげた手で小さな身ぶりをしながら、おりおり賛成の意味をしめしていた。だが、ひとたびジャックのことになると、司祭はキッと顔をあげた。そして、注意の度を加えたように思われた。司祭は、一見脈絡のうかがいかねるような巧みな一連の質問をすることによって、息子の口から聞いた報告のすべてを、あらためてその父親の口から確認させた。

「しかし……しかし……しかし……」と、司祭は、まるでひとりごとのように言った。彼は、しばらく考えていた。チボー氏は、あっけにとられて待っていた。やがて司祭は、きっぱりしたちょうしで話しだした。「お話のアントワーヌ君の態度については、わたしは、あなたほどには心配しておりませんな。それは、当然これまで予想していてよかったことです。科学の研究が、好奇心に富んだ、かつ熱心な一個の知能のうえに及ぼす最初の結果は、それが自尊心をかき立て、信仰をゆるがすことにあります。わずかの知識は、人を神から遠ざけ、そして、知いよいよ深くして、人はふたたび神に立ちもどる。ご心配にはおよびません。アントワーヌ君は、いま、誰しもが、極端から極端へと走りたがる年齢にあります。よくお話しくださいました。これからはたびたびお目にかかり、お話ししてみることにしましょうから。これは、たいして心配なさることではありません。しばらくお待ちになるがよろしい、きっと立ちもどられますから。一方、ジャック君の生活についてのお話、じつはこのほうが、さらに心配に思われます。わたしとしては、隔離した生活といっても、それほどきびしいものとは思っていませんでした！　それではまるで囚人の生活です！　危険をともなわずにはすみそうもありません。正直のところ、わたしは非常に案じています。あなたは、しっかり考えてごらんになりましたか？」

チボー氏は微笑した。

「ざっくばらんに、わしがきのうアントワーヌに答えてやった言葉をお聞かせしましょう。《おまえは、われわれが、こうした方面のことについて、誰にもまして経験を持っているとは思わないか？》」

「それはこのわたしも認めます」と、司祭は、少しもいやな顔を見せずに言った。「ところが、あなたがたがいつもとり扱っておいでの子供たちは、必ずしもすべて、ジャック君のような、特殊の性格の少年が要求するような、そうした手ごころを必要としておりません。そして、わたしの思いちがいでなかったら、彼らは、ジャック君とはちがった生活をしております。すなわち、彼らは共同生活をしております。運動時間をあたえられております。いろいろな手仕事をしております。お忘れと思いますが、このわたしも、ジャック君をきびしく罰することにご賛成申しました。わたしは、ああした隔離といった方法が、ジャック君を考えさせ、改心させるためにいい方法だと考えました。しかし、わたしは、それが、監獄さながらのものとは思っていませんでした。また、これほど長く入れてお置きになるとも思っていませんでした！　お考えください。八カ月の長きにわたって、わずか十五になる子供が、たったひとりで監房に入れられている。しかも、これを監督するものは、無教育な、しかも、その品性について、あなたとしてほんの表向きの報告だけしか受けておいでにならないような一個の番人である！　なるほど勉強させてもらってはおいでになりましょう。だが、一週間せいぜい三、四時間の授業をするコンピエーニュの先生なるものが、はたしてどれほど値打ちのある人でしょう？　あなたはまったくご存じない。一方あなたは、ご自身の経験を申したてておいでになる。失礼ですが、このわたしも、おおぜいの生徒を十二年間扱ってきました。そして、十五になる少年が、はたしてどんなものであるか、知らないわけではありません。たといあなたのお目にはとまらないでも、ジャック君が、はたしてどれほど肉体的、とくに精神的にいじめつけられておいでになるか、考えただけでもぞっとします！」

「あなたまでが！」と、チボー氏が言った。「あなたは、もっとしっかりしたかただと思っていました」と、彼は、かるくせせら笑いながらつけ加えた。「それに、目下の問題は、ジャックのことではありません……」

「わたしから見ますと、それ以外に問題はありません」と、司祭は、声を高めもせずに言った。「わたしのうかがったところでは、ジャック君の肉体的、精神的健康は、いまや非常な危機にひんしているように思われます」彼は、そう言ったあとで、考えこんでいるようだった。だが、やがてゆっくりした口調で言った。「――そして、このうえ一日たりとも、あそこにお置きになってはいけません」

「なんとおっしゃる！」と、チボー氏が言った。

沈黙がつづいた。十二時間もたたないうちに、チボー氏は、ふたたび痛いところを刺されたのだ。怒りが込みあげてきた。だが、彼はやっと自分をおさえた。

「それは、いずれまたのお話ということにしましょう」と、チボー氏は、譲歩しながら、立ちあがった。

「ちょっと失礼」と、司祭は、思いがけぬはげしいちょうしで言った。「せめて、このことだけは申しあげられると思います。すなわち、あなたは軽率に……はなはだ痛ましい軽率さをもって行動されました」司祭はすこしも顔色を変えずに、どれかひとつの言葉のうえに声をひっぱるという、厳然とした、同時に、やさしい口のきき方をするというくせを持っていた。そして、同時に、人さし指を唇にあて、さも《気をつけ！》とでもいったように立ててみせるのだった。「はなはだ痛ましい……」と言いながら、司祭は、まさにそれをやってみせたのだった。それから、ちょっと息を入れて、「わざわいを、一刻もはやく取りのぞかなければなりません」

「何？　どうしろとおっしゃる？」と、チボー氏は、いまはがまんできなくなってどなりたてた。彼は、司祭のほうへ、その挑戦的な鼻をふり向けた。「これまですでにりっぱな成績をあげてきた方法を、やめにしろと言われますか？　家に、やつをひき取るようにと言われますか！　またまた、やつのきちがいじみた行動のままにさせておけと言われますか？　まっぴらですわい！」彼は指の関節がぴちぴち鳴るほど、両こぶしを握りしめた。そして、歯を食いしばったため、声はかすれていた。

「本心から申しているのですぞ。断じてそうはさせません！」

司祭は、両手をおだやかに動かして、《いずれともご随意に》といったようすをしてみせた。

チボー氏は、ぐっと腰に力を入れて立ちあがった。ジャックの運命は、またまた決定されかけていたのだった。

「神父」と、チボー氏は言った。「けさは、どうもあなたとまじめにお話ができんようです。で、わしは帰ります。だが、ひとこと言わせていただきたい。あなたは、すこしもちがわぬ夢をみておいでになる。いったいこのわしは、そんな非道な父親のように見えましょうか？　あの子を善に引きもどすため、これまでにも、愛情、寛容、模範、家庭の訓育など、あらゆるてだてをつくさなかったというのでしょうか？　長い年月のあいだ、あれのために、父として、息子のため忍びうるかぎりのことを忍ばなかったというのでしょうか？　そして、あなたはこのわしのすべての親切が、徒労に帰したことを認めまいと言われるのですか？　わしはさいわい、いいときに、自分の義務がほかにあることをさとりました。そして、ずいぶんつらくはありましたが、断然きびしい態度に出ることにしました。そして、あなたもそのとき賛成なさいました。それに、主は、わしになにかと経験をおあたえくださいました。クルーイに特別室を作ったのも、わしはいつも、あれは主が、わが家のわざわいにそなえるため、あらかじめ手当をさせてくだすったものと考えていました。ああした試練を、このわしが敢然としてこらえてこなかったとでもいうのでしょうか？　世上の多くの父親に、はたしてわしとおなじことができましょうか？　このわしに、何かやましいところでもあるのでしょうか？　おかげで、わしの気持ちは平静です」と、彼は言いきった。だが、何やら暗い抗議の感じが、そういう声をくもらしていた。「わしは、すべての父親たちが、わしとおなじような平静な気持ちを持っていてくれるようにと望んでいます！　では、おいとまします」

彼はドアをあけた。顔のうえには得意げな微笑が浮かんでいた。その語調には、あざ笑うようなちょうしが見られていた。そこには、一種の味があり、ノルマンディーなまりが響いていた。

「ありがたいことに、わしの頭は、あなたがたのそれにくらべて、ずっとしっかりしております」

と、彼は言った。

彼は、だまっている司祭をのこして、玄関を通りぬけた。そして、入口の踊り場の上に立ったとき、快活なちょうしでこう言った。

「ではまた、お近いうちに」

彼は、手を握ろうとしてふり向いた。と、とつぜん、なんのまえぶれもなく、夢みるような声で司祭がこうとなえだした。

「二人の人祈らんとて神殿に昇りしに、一人はファリザイ人（びと）、一人は税吏（みつぎとり）なりしが、ファリザイ人立ちて心の中に祈りけるは、神よ、我は他の人の如くならざることを感謝し奉る。我は一週間に二回（ふたたび）断食し、全歳入の十分の一を納むるなり、と。然（しか）るに税吏（みつぎとり）は遥（はるか）に立ちて、目を天に翹（あ）ぐる事だにもせず、唯（ただ）胸を打ちて、神よ、罪人（つみびと）なる我を憫（あわれ）み給へ、と云ひ居たり。（ルカ聖福音書第十八章）」

チボー氏は、薄目をあけた。彼は、自分の聴罪司祭が、玄関に立ち、その人さし指を唇にあてているのを見た。

「我汝等に告ぐ、此人（このひと）は、彼人（かのひと）よりも義とせられて、己が家に降（くだ）り往（ゆ）けり。蓋（けだし）総（すべ）て自ら驕（たかぶ）る人は下げられ、自らへりくだる人は上げられるべし、と。（ルカ聖福音書第十八章）」

チボー氏は、まゆも動かさずにいた。あまり沈黙が長いので、彼は、ふたたび思いきって目をあけた。司祭は、すでに音もなく、ドアをしめてしまっていた。チボー氏は、ただひとり、とざされたドアのまえに立っていた。彼は、肩をそびやかした。そして、くるりとふり向いて、帰っていった。だが、わが家の階段のなかばをあがったとき、彼は立ちどまった。こぶしは、しっかり欄干を握っていた。呼吸はせわしくなっていた。彼は、まるで鼻ぐつわにいらだつ馬といったように、あごをぐんとつきだした。

「ぜったいに、ならん」と、つぶやくように彼は言った。

そして、もうそれ以上ためらうことなく、わが家の中へはいって行った。

その日一日、彼は、あったことを忘れようとつとめていた。だが午後になって、シャール氏が必要な書類を持ってくるのがおくれたとき、彼は、急にむかむか腹が立ってきて、それをおさえるのに骨がおれた。アントワーヌは、勤務で病院へ行っていた。晩餐は、ひっそりしていた。チボー氏は、ジゼールがデザートをたべ終わるのを待たずに、ナプキンをたたみ、自分の書斎へもどって行った。

おりから八時が鳴っていた。《今夜、もう一度出かけられないことはない》と、彼は椅子に腰をおろしながら考えた。だが、彼は、そんなことはしまいとかたく決心していた。《神父は、またジャックのことを話しだすにちがいない。わしは、ならんと言った。そう言った以上ぜったいにならん》
《だが、神父はファリザイ人のことを話していた。あれはいったいどういう意味なのだろう?》彼は、すでに幾度となく考えていたことを、ふたたび思いだしてみた。たちまち、彼の下唇はふるえはじめた。チボー氏は、いつも死をおそれていた。彼は立ちあがった。そして切込み暖炉の上にごたごたおかれた青銅の像の上を越して、鏡の中にうつる自分の姿をさがしてみた。彼の顔からは、満ち足りた安心の影が消えてしまっていた。それは、きょうまで、しだいしだいに彼の顔を作りあげてきたところのものであり、たといひとりきりでいるときでも、祈りをささげているときでも、けっして失ったためしのないものだった。彼は、はげしい悪寒におそわれた。彼は、肩をがっくり落とし、椅子の上にへたへたと腰をおろした。そして、死の床にある自分のすがたを思い浮かべた。彼は、ことによると、自分は無一物で死んでいくのではないだろうかと、恐ろしそうに考えた。彼は、死にものぐるいで、自分にたいする世間の評判にかじりついてみた。そして、《わしは、やっぱりりっぱな人間なのだ》と、心の中でくり返した。だが、その言葉のちょうしは、やはり疑問的なものだった。彼はすでに、言葉くらいでは安心できなくなっていた。彼は、内省が、心の底まで、それがいままでかつて照らし出したことのないようなあたりまでおりて行くという、そうした異常な時にぶつかっていた。彼は、安楽椅子の腕木をしっかり握りながら、自分の生活の上をのぞき込んでみた。だが、そこには、何ひとつ純粋な行為を見いだすことができなかった。忘却の中からは、胸を刺すようなかずかずの思い出が浮かんできた。その中のひとつ、ほかの全部を集めたよりもさらに苦しいひとつの思い出が、きわめてまざまざと彼をおそった。彼は思わずひたいをかかえた。おそらくは生まれてはじめて、チボー氏は恥ずかしい気持ちを感じた。彼はついに、あの究極の自己嫌悪、なんともたまらない自己嫌悪を感じはじめ、もし、自分に名誉を回復させてくれるようなものなら、自分に天の赦免をあがなってくれるようなものなら、それがいかなる犠牲を必要とするものであろうと、甘んじて受けようという気持ちにさえなっていた。ああ、ふたたび神を見いだすことができるものなら！……だが、それにはまず、神の受託者である司祭の信任を得なければならない……そうだ……もはや一刻も、こうしたのろわしい孤独のうち、こうした責め苦の中に生きていてはいけない……

外気にふれて、彼は落ちついた。彼は、一刻も早く行きたいと思う気持ちから馬車に乗った。迎えにでたのは、ヴェカール神父だった。客が誰であるかを見ようと高くあげたランプの灯(ひ)をうけて、神父は、自若として、まゆげ一本動かさずに立っていた。

「わしですわい」と、チボー氏が言った。彼は機械的に手を出した。そして、そのまま黙りこみ、書斎のほうへ歩いて行った。「ジャックの話で来たのではありません」と、彼は、腰をおろすやいなや一気に宣言した。そして司祭の手が、和解するようなしぐさをするのを見ると「やあ、もうあの話はやめましょう。あなたは思いちがいをしておいでになる。それに、もしお気が向いたら、クルーイへ出かけて、とくと納得していただきたい。わしの言葉の正しいことがおわかりでしょうから」それから彼は、つっけんどんなちょうしと無邪気なちょうしを織りまぜて言った。「けさは、どうも仏頂づらをお見せしてわるかった。ご承知のとおり、すぐカッとなる性分でしてな……だが心底はけっして……それにまた、あなたが、ファリザイ人にたいして、あまりひどいことを言われたので。わしには、それに抗議する権利があります！ わしは、かれこれ三十年も、カトリック事業のため、すべての時を、すべての力をささげてきました。それだけではない、わしの収入の大部分をささげてきました。しかも、わしはひとりの司祭さんから、ひとりの友人から、このわしが……このわしが……そう、それはたしかにまちがっている！」

司祭は、自分の告解者（聴罪司祭に向かって告白をなすもの）をじっとながめていた。彼は、こう言ってでもいるようだった、《驕慢心は、あなたのお気持ちを裏ぎって、そうしたお言葉のはしばしに見えていますで……》長いあいだ沈黙がつづいた。

「神父さん」と、チボー氏は、落ちつかないちょうしで言葉をつづけた。「なるほどわしもみとめています、このわしが……そう、わしはたしかにみとめている、わしはたびたび……だが、それも、わしの生まれつきで……あなたは、わしという人間をご存じないかな？」彼はいま、いささかの寛容を求めていた。「おお、救いの道はけわしいです……わしを立たせてくださるかた、わしを導いてくださるかた、それは、あなたをおいてほかにない……」そして、とつぜん「わしもだんだん年をとる。

わしは、こわいのです……」と、つぶやいた。

司祭は、この声の変わりかたにおどろかされた。そして、これ以上沈黙を守りつづけるべきでないと思った。そして椅子を近づけた。

「ところで、こんどは、わたしがためらいを感じています……」と、司祭は言った。「第一、み言葉がそれほど深くあなたのお心を打った以上、わたしとして、さらになんの付け加えるべきことがありましょう？」彼は、しばらく静思していた。「わたしには、主があなたに困難な務めをお託しになったことがわかっています。あなたは、主にお尽くしになることにより、人々から、力と名誉とを得ておいでです。それは、まさにそうあってしかるべきです。しかし、その結果、あなたは、主の光栄とあなたのそれとを、いささか混同しておいでではありますまいか？　そして、主のみ光より、あなたご自身のそれを重んじるという誘惑にまけておいでではありますまいか？　わたしにはわかっていますす……」

チボー氏は、目をあけていた。そして、二度とそれをとじなかった。彼の青ざめた眼差しのなかには、おびえたような、と同時に、子供らしい無邪気な表情が見られていた。

「しかし」と、司祭はつづけた。「Ad majorem Dei gloriam（より大なる神の光栄のために）、たいせつなのはこの一事。そのほかにはなんの価値もありません。あなたは、強者の、すなわち驕者の部類に属しておいでになる。そうした驕慢の力を、正しい方向へ向けることのいかに苦しいかは、このわたしも知っています。たとい、信仰に関する仕事をしているときでも、自分自身のためでなしに生きるということ、神を忘れずにいるということはじつにむずかしいことなのです！　主がかつて、悲しげに《此の民は唇にて我を敬へども其心(そのこころ)は遠ざかれり（マタイ聖福音書第十五章）》と言われたようなものにならないこと、それはどんなにむずかしいことでしょう！」

「おお！」と、チボー氏は、興奮して、頭もさげずに言った。「おそろしいことです……しかも、それがどんなにおそろしいかは、このわしだけが知っています！」

彼は、へりくだった気持ちになることによって、そこになんとも言いようのないやすらぎを感じた。彼は、おぼろげに、そうすることによって、少年園問題に関してはなんら譲歩を余儀なくされずに、もう一度司祭の心をつかむことができそうになっていた。ひとつの力が、さらに進んで何かをするように、深い信仰と、思いがけない寛容さをしめすことによって司祭の心を動かすようにとすすめてくれていた。たといどんな犠牲をはらってでも、ぜひとも司祭の信任を得なければ。

「神父」と、とつぜん彼は言った。そして、その眼差しには、アントワーヌの目にしばしば見られる、思い決したような表情がうかがわれた。「なるほど、きょうまでのところ、わしは、一介の、あわれな、おごれる者にすぎなかったかもしれません。しかし、きょうという、きょう、主はまさに、ひとつの……つぐないの機会をあたえてくださったのではありますまいか？」彼はためらった。そして、自分自身とたたかってでもいるらしかった。彼は、たしかにたたかっていた。司祭は、彼が親指の腹で、チョッキの上、ちょうど心臓のあたりに、すばやく十字をきるのを見た。「じつは、例の候補のことですが。これはたしかに犠牲でしょうな。驕慢心を犠牲にすることになりましょうな。というのは、あなたはけさ、選挙の結果は確実だとお話しでしたから。そこで、わしは……だが、そういうところにもまだ見栄がある。むしろ黙って、たとい相手があなたにしろ、何も言わずにそれをなすべきだったかもしれません。しかし、こうなったうえはしかたがない。いいですか、わしはあした、永久に学士院候補を辞退することを誓います」

司祭は、何か手を動かしたらしかったが、それはチボー氏に見えなかった。彼は、壁に掛かった十字架像のほうを向いていた。

「主よ」と、彼はつぶやくように言った。「わが身をあわれみたまえ、わが身は一個の罪人にすぎません」

彼は、このしぐさのなかに、自分でも気がつかずに、いささか自負の気持ちをまじえていた。驕慢心には根深いものがあって、チボー氏は、はげしく悔恨しながらも、なお驕慢心をたまらなく満足させることによって自らの謙遜さを味わっていたのだった。司祭は、見とおすような眼差しで彼をつつんだ。いったい、この男は、どの程度まで誠実になれるのだろう？　だが、そのとき、チボー氏の顔は、犠牲と神秘とに輝いていた。その結果、そのぼてぼてしていることや、しわのあることなども目につかず、老人の顔でいながら、そこには、子供の顔といったような無心さがうかがわれた。司祭は、それを見るなりおどろいた。彼は、けさ、このでっぷりした《みつぎとり》をあわてさせ、そこにいやしい快感を味わったことをはずかしくさえ思いかけていた。いま、ふたりの立場は逆になっていた。司祭は、自分自身の生活をふりかえった。自分が、喜んで自分の教え子たちをすてたこと、そして、大司教管区の中での、こうした主に近い、輝かしい地位をのぞんだこと、これははたして、主の光栄のためのみだったと言えるだろうか？　そして、自分は、毎日、教会のためにたくみな外交的手腕をふるいながら、じつは、個人的な、罪ふかい快楽を味わっているのではないだろうか？

「正直なところ、あなたは、主が、わしを許してくださると思うておいででしょうか？」

こうしたチボー氏の不安な声は、ヴェカール司祭を、ふたたび霊の指導者としての彼本来の職分に立ちもどらせた。彼は、両手をあごの下に組み、頭をさげ、つとめて微笑を浮かべて見せた。

「わたしは、あなたが、窮極のところまで行きつかれるのを見ていました」と、司祭は言った。「わたしは、あなたに苦しい思いをおさせしました。そして、わたしはいま、主のご慈悲が、目下のありさまをおみとめくださるだろうと信じております。ところで」と、彼は人さし指を高くあげながらつけ加えた「そうしたお志だけでじゅうぶんです。あなたが真になさらなければならないことは、そうした犠牲を最後まで押し進めておいでになることではありません。いや、どうか黙っておききください。あなたの聴罪司祭であるわたしが、そうしたお思いたちから、あなたを解放してあげるのです。じつのところ、思いとどまられることは、選挙されることにくらべて、主の栄光のために役だつ点にかけて劣るでしょう。家長として、また資産をつかさどられるかたとしてのあなたの立場には、あなたとして閑却してはならないものがあります。学士院会員という肩書は、わが国の防衛者たる偉大な極右共和党の面々のあいだで、あなたにたいし、ひとつの新しい、そして大義のため、ぜひとも必要なひとつの権威をつけ加えることになりましょう。あなたは、あらゆる時を通じ、いつも命を教会のみちびきの下に置いておられた。わたしにしたがって、も一度、そのみちびきのままにおまかせになるがよろしい。主は、あなたのそうした犠牲をおしりぞけになります。いかにつらくあろうとも、おまかせすべきです。《天にありては栄光神にあれ。地にありては善意の人にあれ！》」

司祭は、語りつづけながら、チボー氏の顔がふたたび引きしまり、しだいしだいにまえの均衡を取りもどすのを見た。司祭が語り終わったとき、チボー氏はふたたび目をとじていた。そして、心の中に何を考えているのか、もう読みわけることができなかった。いま二十年来の宿望である学士院会員になることを許してもらえた彼は、ふたたび命をあたえられたような気持ちだった。それでいながら、われとわが身に加えたおそろしい努力につかれ、さらに、この世ならぬ感謝の思いでいっぱいになっていた。ふたりはいま、おなじことを考えていた。司祭は、ひたいをたれ、低い声で、恩寵のおとずれをねがう祈禱をとなえはじめた。そして、顔をあげたとき、チボー氏はひざまずいていた。空を仰ぐ盲人とでもいったような顔の上には、歓喜の色が輝いていた。低いつぶやきが、彼のぬれた唇をふるわせていた。そして、テーブルの上には、毛むくじゃらなふたつの手、まるで蜜蜂に刺されでもしたようにふくれかえったふたつの手が、感動させずにはいないような熱心さで、その指と指とをからませていた。こうした尊い光景、それが司祭にとって、とつぜんたまらなく思われだしたのはなぜだろう？　彼は思わず腕をのばし、あわやチボー氏にふれようとした。だが、すぐ思いとどまった。そして、相手の肩の上に、やさしく手をおいた。チボー氏は、重々しげなからだで立ちあがった。

「まだお話があります」司祭は、彼独特の、物に動じないやさしさで言った。「ジャックさんのことをおきめにならなければ」

チボー氏は、思わず全身をぎくりとさせた。

司祭は椅子に腰をおろした。

「むずかしい義務をやってのけたからといって、わがこと終われりと考え、さしせまった義務、きわめて身近な義務を忘れる人におなりではいけませんぞ。ご子息にお命じになった試練にして、たといわたしのおそれているほど有害ではなかったにしても、このうえそれをおつづけになってはいけませんぞ。主からおあずかりした才能を、そのままうもれさせてしまうことになるしもべのことをお考えにならなければ。さ、ここをお立ちになるまえに、あなたご自身の全責任について、はっきりお答えねがいましょう」

チボー氏は、立ったまま、首を横にふっていた。だが、その顔には、これまでほどの強情さが見られなかった。司祭は立ちあがった。

「何よりもたいせつなのは」と、司祭はつぶやくように言った。「アントワーヌ君に、あなたがかぶとをおぬぎになったようにお見せにならないことです」司祭は、その言葉が、図星をさしたことを見てとった。そして、二、三歩前へ進むと、打ちとけたちょうしで言葉をつづけた。「もしわたしがあなただったら、どうするとお思いです? わたしは、アントワーヌ君にこう言いましょう、《おまえ、弟を少年園から出したいと言っていたな? そうだったな? いまでもそう思っているか? よし、それなら、わしはおまえの言葉を信用しよう。弟をつれに行くがいい。だが、そのかわり、おまえの手もとにおくのだ。呼びもどしたいと言いだしたのはおまえだ。おまえがあれの世話をするのだ！》」

チボー氏は、身動きひとつせずにいた。司祭は、さらに言葉をつづけた。

「わたしだったら、もっと突っこんで申しあげようとさえ思います！《わしは、ジャックを家にいさせたくない。おまえがいいようにとり計らうがいい。おまえは、いつも、わしがあの子の扱いかたを知っておらんとでもいったような顔をしている。ではひとつ、おまえ自身やってみてくれんか？》そして、アントワーヌ君の腕に弟さんをおまかせになるのです。ふたりのために、どこか住まいを見つけておやりになる。もちろんお宅のご近所に。つまり、あなたといっしょに食事ができるようなところにです。しかし、弟さんの指導全般は、アントワーヌ君に一任する。いや、どうか反対なさらないでいただきたい」と、司祭は言った。だが、チボー氏は、じつはなんのしぐさもしていなかったのだ。「ちょっと！　どうか終わりまで話させていただきたい。わたしの答えは、一見あなたがお考えになっておいでのような、夢のようなものではありません……」

司祭は、テーブルにもどると、それにひじをつき、椅子に腰をおろした。

「しっかりお聞きいただきたい」と、彼は言った。

「まず第一に、ジャック君は、あなたのご命令よりも、アントワーヌ君の命令にしたがいやすいこと、これは十二分に考えられます、そして、いままでよりももっと自由になれることから、かつてのような反抗やわがままをお忘れになるだろうということ、これもまた、わけなく考えられることなのです。第二に、アントワーヌ君にとっては、あのかたのまじめさこそ、あなたにとってすべてを保障するもののように思われます。そのお言葉を真にうけておあげでしたら、弟さんをそうやって自由にしてあげることについて、けっしていなやはおっしゃいますまい。一方、けさ、はなはだ困ったこととしてお話しのあった嘆かわしい傾向についても、小さなことから、大きな効果を引きだすことができましょう。つまり、あのかたに、精神上の義務を負わせることにより、あのかたに絶好の牽制をあたえ、その結果、あのかたを、社会について、道徳について、宗教について、いままでほど……虚無的でない考え方のほうへお引きもどしすることができましょう。第三に、あなたの父親としての威厳は、そうなさることによって、とかくそれがすりへらされている、またそれがかきみだされている毎日の摩擦からおのがれになることができ、全幅のご威光で、ご子息たちの上に総括的な指導をなさることがおできでしょう。そして、それこそじつに、お父さまとしての本領であり、また、さあ、なんと言いますかな、その主たるお役目でもありましょう。ところで」と、司祭は打ちあけ話といったちょうしにかわった。「じつは、あなたの選挙について、ジャック君がクルーイを出ておいでのほうが、つまり、そのことが問題にならないようにしておかれるほうがいいように思います。有名人には、種々雑多なインタビューや問い合わせが飛びこみます。ことによると、とんだ無作法な新聞だねにされかねません……もちろんこれはまったく第二義的な心配ですが、それにしても……」

チボー氏は、ちらりと不安げな眼差しを投げた。自分では気がつかなかったが、息子を囚人名簿から釈放することから、彼の良心はたしかに楽な気持ちにさせてもらえるのだった。そして、司祭の計らいには、たしかに有利な点だけしかみとめられなかった。つまり、アントワーヌにたいする自分の面目も立ち、ジャックはジャックで正常な立場にもどることができ、自分は自分で彼のめんどうをみないですむことになるのだ。

「もしあいつが」と、やがてチボー氏は言った。「出してやったあと、またまたとんでもないことをしでかしさえしないようでしたら……」

これで、司祭は勝ったのだった。

司祭は、ふたりの子供たちの生活を、少なくともはじめ何カ月かのあいだは、それとなく監督することを約束した。そして翌日、ユニヴェルシテ町の晩餐にやって来て、父と兄との対談に立ち会うことを承諾した。

チボー氏は、帰ろうとして立ちあがった。彼は、軽やかな、生まれかわったような気持ちで帰りかけた。だが、感謝をこめて司祭の両手を握ったとき、またもやひとつの疑いが心をかすめた。

「こうしたわしを、どうか主がお許しくださいますよう」と、彼はさびしそうな声で言った。

司祭は彼を、うれしげな眼差しでながめやった。

「汝等の中」と、司祭は低い声でつぶやいた。「誰か百頭の羊ありて其一頭を失いたらんに、九十九頭を野に舍きて其失せたるものを見出すまで尋ねざらんや」そして、ちらりと浮かべた微笑とともに、指を立てながら「我汝等に告ぐ、斯の如く改心する一個の罪人のためには、改心を要せざる九十九の義人のためよりも天に於て喜あるべし……（ルカ聖福音書第十五章）」

六

ある朝、やっと九時になるかならないころ、天文台通りの家の家番の女がフォンタナン夫人のところへあがって来た。階下に、お会いしたいという《かた》がみえているが、お住まいまであがるのもいや、またお名まえも言ってくださらない、ということだった。

「《かた》って？　ご婦人？」

「お嬢さんです」

フォンタナン夫人は、ちょっとたじろいだ。さては主人が、また何かやってのけたにちがいない。誰かゆすりに来たのではないだろうか？

「とてもお年のいかないかたでして」と、家番がつけ加えた。「ほんの子供さんで」

「行きましょう」

たしかに子供にちがいなかった。家番室のくらがりにかくれていたが、やがてのことに顔をあげた……

「ニコルちゃん？」と、フォンタナン夫人はさけんだ。ノエミ・プティ・デュトルイユの娘だった。

ニコルは、おばの胸に飛びこもうとした。だが少女は、それをこらえた。暗い顔色、髪をみだしてはいたが、泣いてはいなかった。目を大きくあけ、まゆげをきりりとつりあげていた。とても興奮しているらしく、何か思い決したようすで、自分をしっかりおさえていた。

「おばさま、あたしおばさまにお話ししたいことがありますの」

「おはいりなさい」

「あがるのはいや」

「なぜ?」

「なぜでも。あがるのはいや」

「なぜ? だって、わたし、ひとりきりなのよ」夫人は、ニコルがためらっているのを見てとった。「ダニエルは学校だし、ジェンニーはピアノのおけいこに行ってるの。わたし、お昼のお食事のときまでひとりきりなのよ。さ、いらっしゃい」

ニコルは、ひと言もいわずに、夫人のあとにしたがった。夫人は、少女を自分の部屋へつれて行った。

「どうしたの?」夫人は、不審の気持ちをかくせなかった。「誰のご用で? そして、どこから?」

ニコルは、目を伏せもせず、じっと夫人をみつめていた。彼女は、まつげをしばだたかせた。

「あたし、逃げて来たの」

「あら……」と、フォンタナン夫人は、苦しそうな表情で言った。だが同時に、ほっとした。

「それで、ここへ来たの?」

ニコルは、ちょっとまゆを動かした。それはさも《だって、ほかにどこへ行きようがあって? 知った人なんかいないんですもの》とでも言っているようだった。

「おかけなさいな。ところで……ずいぶんつかれているようね、おなかへってない?」

「少し」彼女は、言いわけのように微笑した。

「早くそう言ってくれればいいのに!」そう言いながら、フォンタナン夫人は、ニコルを食堂へつれて行った。少女がバターを塗ったパンをむさぼるようにたべているのを見ると、夫人は、食料戸棚から、冷肉の残ったのとジャムを取りだした。ニコルは、物も言わずにたべていた。腹のへっていることははずかしかったが、とてもかくしてはいられなかった。頬はかっかとほてっていた。彼女は、つづけざまに、紅茶を二はい飲んだ。

「あなたいつからたべなかったの?」フォンタナン夫人は、少女以上に興奮した顔をして言った。

「寒くない?」

「いいえ」

「そんなことないわ。ふるえてるじゃないの」

ニコルは、歯がゆいといったような身ぶりをした。自分の弱さをかくせないのが、腹だたしくてならなかった。

「あたし、夜どおし旅をしてきたの。それで、少し寒いの……」

「旅？　では、どこから来たの？」

「ブリュッセル」

「ブリュッセル？　まあ！　たったひとりで？」

「ええ」と、少女が言った。そのちょうしだけで、彼女の決心のいかにかたいかがうかがわれた。

夫人は、少女の手を取った。

「氷のように冷たいわね。わたしのお部屋へいらっしゃい。横にならない？　ひとやすみしない？　お話はあとできかせてもらうわ」

「いいえ、あたし、すぐにお話ししたいの。ふたりきりでいるうちに、それに、あたし眠くないのよ。だいじょうぶ、ほっといて」

まだ四月はじめのことだった。フォンタナン夫人は、暖炉に火をつけ、逃げだしてきた少女をショールでくるんでやり、むりやり暖炉のそばにすわらせた。少女は、最初はこばんでいたが、そのうち言われるとおりにした。少女は、じりじりして、何ものにも動かされないぞといったような、ぎらぎらした目を見すえていた。少女は、置き時計のほうを見た。早く話がしたいのだった。だが、落ちついてみると、話しだす気になれなかった。おばさんは、窮屈な思いをさせまいと思って、少女のほうを見ないようにしていた。何分かの時がたった。ニコルは、まだ話をはじめなかった。

「あなたがどんなことをしたにしても」と、フォンタナン夫人が言った。「ここでは、誰ひとり、それを聞こうとするものはいないのよ。なんなら、秘密はそのままにしておきましょう。わたし、あなたが、ここへ来る気になってくれただけでうれしいの。あなたは、半分家の子供なのよ」

ニコルは、からだを起こした。何か、打ちあけにくいあやまちでも犯したように思っているのかしら？　少女がからだを動かしたので、ショールは下にすべり落ちた。そして上半身があらわれた。それは、張りきるようにぴちぴちしていて、やせた顔、とてもういういしい顔だちとふしぎな対照をしめしていた。

「そうじゃないの」と、少女は、燃えるような目をして言った。「あたし、すっかりお話ししたいの」そして、すぐさま、いどみかかるような、ぱきぱきしたちょうしで話しはじめた。「おばさま……おばさまがモンソー町の家へいらっしゃった日ね……」

「おお」と、フォンタナン夫人が言った。そして、その顔のうえに、ふたたび苦しそうな表情を浮かべた。

「……あたし、みんな聞いちゃったの」と、ニコルは、口早に、まばたきしながら言ってのけた。

しばらくのあいだ沈黙がつづいた。

「わたしもそうだと思ったわ」

少女は、しゃくり泣けてくるのをこらえた。そして、さめざめ泣けてくるとでもいったように、顔を手の中にうずめていた。だが少女は、ほとんどすぐに顔をあげて、目はかわききり、唇は引きしまり、いつもの表情はもとより、声までが変わってしまっているようだった。

「おばさま、ママのことを悪く考えないで！　ママとてもかわいそうなんですもの……そうお思いにならない？」

「思いますとも」と、フォンタナン夫人が答えた。聞きたくてならないことが、唇まで出かかっていた。夫人は、誰も見あやまることのないような落ちつきを見せて、じっと少女をながめていた。

「あの、あちらには、やっぱり……ジェロームおじさん、いらっしゃるの？」

「ええ」そして、ちょっとまをおいたあとで、少女は、まゆを上げながらつけ加えた。「じつは、おじさまが、逃げるように……ここへ来るようにって教えてくだすったの……」

「おじさんが？」

「いいえ、あの……この一週間、おじさまは毎朝おいでになっていたの。そして、あたしが暮らしていけるように、お金を少しずつくだすったの。なぜって、あたし、あそこにひとりぼっちでいたんですもの。ところがおととい、おじさまはこうおっしゃったの。《誰か情け深い人が引き取ってくれたら、おまえはここにいるよりしあわせになれるんだが》って。おじさまは《情け深い人》っておっしゃったわ。あたし、すぐに、おばさま、テレーズおばさまのことを考えたの。そして、おじさまも、きっとそうお考えになったんだと思うわ。どう、おばさま？」

「たぶんね……」と、フォンタナン夫人はつぶやいた。

夫人はとつぜん、何やらたまらなくうれしくなって、あやうく微笑を浮かべそうになった。夫人は急いで言葉をつづけた。

「だって、あなたどうしてひとりぼっちでいたの？　どこにいたの？」

「家に」

「ブリュッセルの？」

「ええ」

「わたし、あなたのお母さんがブリュッセルに移ったことを知らなかったわ」

「十一月の末に、そうしなければならなくなったの。モンソー町の家は、差し押さえられてしまったの。ママは、運がわるくて、いつも困ってらしったわ。そして、執達吏からお金のさいそくをされていらしったの。でも、いまでは借金を払ってもらえて、帰っていらっしゃることもできるのよ」

フォンタナン夫人は目をあげた。夫人は、それを誰に払ってもらったのか聞きたかった。彼女の目は、はっきりそうした質問の意味をしめしていた。そして、彼女は、その回答を、少女の唇に読みとれた。夫人はふたたび、こうたずねないではいられなかった。

「そして……あの人、お母さんといっしょに十一月にたって行ったの？」

ニコルはなんとも答えなかった。おばの声は、それほど苦しそうにふるえていたのだ！

「おばさま」少女は、やっとの思いでこう言った。「あたしのことをおこっちゃいやよ、あたし、おばさまには、何も隠したくないの。でも何から何まで、一度にお話しすることはむずかしいわ。おばさま、アルヴェルドさんをご存じ？」

「いいえ、どういうかた？」

「パリで有名なヴァイオリニスト。あたしにおけいこをしていてくだすったかた。ええ、とてもりっぱな芸術家よ。ほうぼうの音楽会でおひきになるの」

「で？」

「パリに住んでいらしったけれど、もともとベルギーのかたなの。だから、あたしたちが逃げだすことになったとき、ベルギーへつれてってくだすったの。先生は、ブリュッセルにお家があって、あたしたちもそこに住むことになったの」

「先生と？」

「ええ」少女には、その質問の意味がわかっていた。そして、かくし立てせずに返事をした。少女はむしろ、かくし立てしないところに、あらあらしい楽しさを味わってでもいるようだった。だが、少女は、それからさきは、何も言おうとしなかった。そして、そのまま口をつぐんだ。

フォンタナン夫人は、かなり長い沈黙のあとで言った。

「でも、あなたがひとりぼっちでいたあいだ、そして、ジェロームおじさんがたずねて来てくれたとき、その幾日かのあいだ、あなたいったいどこにいたの？」

「あそこ」

「そのかたの家？」

「ええ」

「そして……おじさんもそこへやって来たの？」

「そうなのよ」

「だって、どうしてあなたはひとりぼっちでなんかいたの？」と、フォンタナン夫人は、ものやさしさを失わずに言葉をつづけた。

「なぜって、ラウールさんは、いま、ブリュッセルやジュネーヴに、演奏旅行に行ってるんですもの」

「ラウールさんて？」

「アルヴェルドさんのこと」

「そしてお母さんは、あなたをたったひとりでブリュッセルに残して、そのかたといっしょにスイスへ行ったの？」少女がしめした絶望的なしぐさを見て、夫人は顔をあからめた。「あ、許してね」と、夫人は、口ごもりながら言葉をつづけた。「もう何も話さないでいいのよ。あなたが来てくれただけでもうたくさん。わたしのところにずっといるのよ」

だが、ニコルははげしく頭を振った。

「いいえ、いいえ、もうこれであらかたおしまいなの」少女は強く息を吸いこんだ。そして、ぐっとひといきに言った。「おばさま、聞いてちょうだい。アルヴェルドさんは、いまスイスにおいでになるの。でも、ママといっしょではないのよ。なぜかというと、あのかたは、ママに、ブリュッセルの劇場で、オペレッタに出る契約を結んでおあげになったんだから。ママはお声がいいの、それも、先生が勉強させておあげになったからなの。ママは、新聞なんかで、とても評判なのよ。ポケットの中に切抜きがあるわ。お見せするわ」少女は、どこまで話したかわからなくなって言葉を切った。

ったんで、それでおじさまがいらっしたっていうわけなの。でも、もうおそかった。おじさまがいらしったとき、ママはもう行っちまったあとだったの。ある晩、ママは、あたしを抱いてキスしてくれたわ……じゃない」と、少女は声を落とし、まゆをきっとしかめながら言った。「ママは、あたしをどうしていいかわからなくなって、ほとんどあたしをぶちさえしたわ」少女は顔をあげた。そして、むりにほほえんでみせようとした。「ええ、ママは、ほんとはおこってなんかいたんじゃないのよ」微笑は、のどのところでつまってしまった。「テレーズおばさま、ママは、それはそれはかわいそうなの。とても想像おできにならないと思うわ。ママは、どうしても行かなければならなかったの。誰かが下で待っていたの。それに、ママには、ジェロームおじさまのいらっしゃることがちゃんとわかっていらしったの。これまでだって、幾度もやっておいでになったんですもの。そして、ラウールさんといっしょに音楽をしたりなさったんですもの。でも、一番しまいにいらしったとき、おじさまは、え、ジェロームおじさまが家に見えたら、二度と来ないとおっしゃった。そこで、ママは、お出かけになるまアルヴェルドさんがいるかぎり、ママはずっと帰って来ない。あたしだけをおいてった、万事おじさまにおねがいする、そう言うようにって言いつけてらしったの。おじさまも、たしかにそうしてくだすったろうと思うわ。でも、おじさまがいらっしゃると、あたしには、とてもそう言えなかった。おじさまはおこってらしったわ。あたし、おじさまが、ふたりを追っかけていらっしゃりはしまいかと心配だった。で、わざと嘘をついちゃったの。ママはあした帰っていらっしゃるって。そして、毎日、ママを待ってるんだって嘘をついたの。おじさまは、ほうぼうさがしていらしったわ。おじさまは、ママがまだブリュッセルにいるものと思いこんでいらしったの。でも、あたし、もうがまんができなくなってきた。あそこにいるのがいやになったの。第一、ラウールさんとこの下男というのがたまらなくいやなやつ！」少女は、身をふるわせた。「テレーズおばさま、そいつ、とてもいやな目をしたやつなのよ！……いやなやつ！　あたし、おじさまが、《情け深いかた》の話をなすった日に、すぐに決心しちゃったの。そして、きのうの朝、おじさまからお金を少しいただくと、それを下男に取られないようにして家を出て、夕方まで、ほうぼうの会堂の中にかくれていたの。そして、夜汽車に乗ってやって来たのよ」

少女は、下を向きながら、早口に話しおわった。少女が顔をあげたとき、やさしいフォンタナン夫人の顔の上には、はげしい憤激、はげしいきびしさが見られた。ニコルは思わず手を組みあわせた。

「テレーズおばさま、ママのことを悪くお思いにならないでね、ママが悪いからじゃないのよ。あたしだって、いつもいい子とはいわれなかったの。あたし、ずいぶんママに手を焼かせた。そうなのよ！　でも、あたし、もう大きくなっている。もう、あんな暮らし方なんかできないわ。ええ、できないわ」と、少女は、唇をきっと引きしめながら言った。「あたし働きたいの。自分で暮らしていきたいの。人の重荷になりたくないの。あたし、そのためにやって来たのよ。でも、おたよりできるのは、おばさまよりほかにないんですもの。だって、しかたがないでしょう？　ねえおばさま、五、六日だけ助けていただけてね？　おばさまよりほかに助けてくださるかたはないんですもの」

フォンタナン夫人は、すっかり心を動かされて、なんとも返事ができなかった。自分が、この少女と、これほど親しむことになるだろうなどと考えたことがあったろうか？　夫人は、自分でもそのなごやかさにうっとりしてしまうような、自分の苦しみまでもそれによってなごめてもらえるような、そうした愛の思いをこめて少女をながめていた。おそらく、まえほどきれいではないかもしれない。口のあたりは、熱のための小さな吹出物でみっともなかった。だが、目ときたら！　かなり濃い藍鼠色の目。そして、大きすぎ、くりくりしすぎているとさえ言える目……そして、その澄みわたったなかに見られる、なんという誠実さ、なんというけなげさ！

ようやく微笑を取りもどすことができたとき、

「ねえ」と、夫人はのぞきこみながら言った。「よくわかったわ。あなたの決心を尊敬するわ。そして、助けてあげると約束をするわ。でも、さしあたり、ここ、わたしたちのところに落ちつくことにするのよ。いまのあなたには休息が必要なの」《休息》と口には言ったが、その眼差しは《愛情》の意味を語っていた。ニコルは、それを見あやまらなかった。だが、少女は、まだ、心をもろくしないようにがんばっていた。

「あたし働きたいの。あたし、重荷になりたくないの」

「だって、もしママが迎えにみえたら？」

澄みわたった眼差しがちょっと曇った。だが、たちまち、想像できないほどのきびしさを見せた。

「そんなこと、ぜったいにないわ！」と、少女は、しゃがれた声で言った。

フォンタナン夫人には、それが聞こえなかったようだった。そして、わずかにこう言った。

「あたし、喜んであなたを家に置いてあげるわ……いつまでも」

少女は、立ちあがると、ふらふらしたようだった。そして、さっとからだをすべらしたと思うと、おばのひざに頭をのせた。フォンタナン夫人は、その頬をなでてやっていた。そして、このうえきいてみなければならないいくつかの質問のことを考えていた。

「あなた、ずいぶんいろいろなことを見て来たのね、あなたくらいの年で見ないでもいいようないろいろなことを……」と、夫人は思いきって言ってみた。

ニコルは、からだを起こそうとした。だが、それを夫人はおしとどめた。自分のあかくなったところを、子供に見られたくなかったからだ。夫人は、ひざの上に、少女のひたいをかかえていた。そして、言いだす言葉をさがしながら、ブロンドの髪のひとふさを、うわの空のようすで、指に巻きつけていた。

「あなたには、いろいろなことがわかったのね……いろいろ……秘密にしておかなければならないようないろいろなことが……わたしの言うことわかる?」夫人はいま、その目をじっとニコルの目にそそいでいた。そして、少女の目には、何かちらりと光るものがあった。

「おばさま、だいじょうぶよ……誰も……誰ひとり! みんなには、ママのことわからないのよ、きっと悪口を言うにちがいないわ」

少女は、ちょうどフォンタナン夫人が、夫のふるまいを子供たちの目からかくそうとするのとおなじように、母の行ないをかくしておきたかった。ニコルが、思案したあげく、生きいきした顔つきでからだを起こしたとき、そこには思いがけず、おなじ思いのふたりの気持ちがたしかめられた。

「ねえ、おばさま、みんなには、こう言っておけばいいのよ。ママは、生活のために、外国で仕事の口をおみつけになったんだって。たとえばイギリスで……あたしをつれてお行きになれないようなお仕事……あの、学校の先生なんかどう？」少女は、子供らしい微笑を浮かべながらつけ加えた。

「ママが行っちまったんだとしたら、あたし、悲しそうにしていたって、ちっともおかしくないでしょう？」

七

階下のしゃれものは、四月十五日に引っ越して行った。

十六日の朝、《おばさん》のヴェーズ嬢は、ふたりの女中、家番であるマダム・フリューリンク、それにひとりの人夫を先に立てて、その男所帯の住まいを引きわたしてもらいに行った。まえにいた男は、この家でも、あまりいい評判の男ではなかった。そこで《おばさん》は、黒いメリノ地のケープに上半身をしっかり包み、部屋がすっかりあけ放たれるのを待って、はじめて部屋へはいって行った。彼女は、まず控え室の中へはいった。彼女は、小きざみ足で歩きながら、ほうぼうの部屋をひとまわりした。それからほうぼうの壁が、すべてむきだしであることになかば心を安んじて、悪魔ばらいをするとでもいったように、そうじの手はずをととのえた。

アントワーヌが意外に思ったのは、《おばさん》が、ほとんど少しも反対せずに、兄弟ふたりが、父の家から離れて住むことに同意したことだった。しかもそうした計画は、彼女の家庭的な習慣をみだし、家庭や教育に関する彼女の観念をくつがえすところのものでさえあったのだった。アントワーヌは、そうした《おばさん》の態度を、ジャックが帰って来ることのうれしさ、それに、チボー氏の裁決にたいしての尊敬の気持ち、とりわけそれをヴェカール神父も賛成したからだろうと解釈していた。だが、じつのところ、《おばさん》がのり気になったのには、別の理由があったのだった。それは、アントワーヌが、自分たちのところから出て行ってくれてほっとできるからだった。ジゼールを引き取って以来、彼女はいつも伝染をおそれていた。あの年の春のごとき、彼女は、ジゼールを、六週間にわたって自分の部屋の中にとじこめ、バルコン以外の空気にふれさせようとせず、一家がメーゾン・ラフィットへ出かける時期をさえ延期させた。それは、家番の姪のリスベット・フリューリンクが百日ぜきにかかっていたからであり、そして、外へ出るには、どうしても家番室の前を通らなければならなかったからのことだった。いつも病院のにおいを発散させ、医療道具や書物を持っているアントワーヌは、彼女にとって、永久の危険物のように思われていた。彼女は、アントワーヌに、ジゼールをけっしてひざにだきあげてくれるなと言っていた。もし、家へ帰ってきた彼が、不注意にも、外套を自分の部屋へ持っていくかわりに玄関の椅子の上にでもおくか、あるいは時間におくれて帰ってきて、手も洗わずに食卓についたりすると、まさか、外套を着て病人を見るはずもなく、病院を出るときにはいつも洗面所へ行くことがわかっていても、恐怖で息がつけなくなった彼女は、食べるのをやめ、デザートになるが早いか、ジゼールを自分の部屋へつれて行き、のどと鼻とを消毒してやるのだった。アントワーヌが階下の部屋に移ってくれることは、ジゼールと彼とのあいだに、二階をへだてての安全地帯ができることであり、日々の伝染の危険をできるだけへらさせることになるのだった。こうしたわけで、彼女は、きわめて熱心に、このペスト保菌者のための隔離室をととのえてやることに没頭した。そして、三日すると、住まいのゆかはきれいにみがかれ、洗われ、壁には壁紙が張られ、窓掛けや家具などまでがちゃんとととのえられていた。

もう、いつジャックがもどってきてもさしつかえなかった。

ジャックのことを思うと、彼女の働きには油がのった。そうかと思うと、しばらく仕事の手を休め、思い出にうかぶジャックの顔を、疲れたような目で、じっとみつめていた。ジゼールにたいする愛情も、彼女に少しもジャックのことを忘れさせなかった。彼女はジャックを、彼の生まれたときから愛していた。いや、さらに、まえから愛していた。というのは、彼よりまえに、彼の母なる人を愛しもし、育てもしていたからのことだった。ジャックは、母を知らなかった。そして、揺籃（ようらん）のころから、母がわりをしてくれたのが《おばさん》だった。ジャックはある晩、彼女の腕を目がけて、廊下の敷物の上で、最初のよちよちあるきをした。それに引きつづく十四年、彼女は、いまジゼールのために心配するのとおなじように、ジャックのために案じつづけてきた。だが、それほど愛してやっていたのに、そこにはまったく不可解なものがのこっていた。自分がほとんど目を放したことのない少年でいながら、その少年は、彼女にとっていつもひとつのなぞだった。あるときなぞ、彼女は、そうした悪童を育てることに絶望し、イエスさまのようにおとなしかったチボー夫人の幼少のころを思いだし、涙を流しもしたものだった。彼女は、ジャックの粗暴さが、誰に似ているだろうなどとは考えなかった。そして、ただ悪魔ばかりを非難していた。だが、またあるときは、思いがけない、突発的な、情に激した何かのしぐさが、そこにとつぜん子供の心をひらめき出させ、彼女の心をしんみりさせ、うれしさから、彼女を泣かせもしたものだった。彼女は、ジャックのいなくなったことになじめなかった。彼が家を離れたことについては、彼女にはなにもわかっていなかった。だが彼女は、ジャックの帰りをはなやかにしてやりたい、そして、新しい部屋の中に、彼の好きなものをみんな入れてやりたいと思った。アントワーヌは、彼女が、棚の上に、ありとあらゆる昔のおもちゃをつめ込もうとするのに反対しなければならなかった。彼女は、自分の部屋から、ジャックの好きだった安楽椅子、彼がふくれたとき、いつも腰かけにやって来たその安楽椅子をおろさせた。そして、アントワーヌのすすめにしたがい、ジャックの古ベッドのかわりに、ま新しいベッド椅子まですえてやった。それは、昼間はたたむようになっていて、部屋の中に、なにか書斎らしい荘重さをつけ加えることになったのだった。

二日このかたほったらかしにされ、しなければならない宿題を持って部屋にとじこめられていたジゼールは、注意をノートに集中することができずにいた。彼女は、階下でどんなことが起こっているのか、行ってみたくてたまらなかった。彼女は、もうじきジャックが帰ってくるということ、そして、これらの騒ぎも、すべてジャックのためだということを知っていた。そして、彼女は、いらだつ神経をしずめようと、自分のとじこめられている牢獄の中を円をえがいて歩きまわっていた。

三日めの朝になると、もういても立ってもいられなかった。そして、はげしい誘惑にさそわれるままに、正午ごろ、おばのあがって来ないのをたしかめたうえで、前後の分別もなく、部屋を抜けだし、飛ぶように階段をおりて行った。そこへ、アントワーヌが帰って来た。彼女はげらげら笑いだした。アントワーヌは、落ちついた、むずかしい顔をして彼女をみつめ、彼女をげらげら笑いださせる腕を持っていた。しかも、彼女の笑いは、アントワーヌがまじめな顔をしていればいるだけ、とめようとしてもとまらなかった。そして最後には、ふたりとも《おばさん》からしかられることになるのだった。だがいま、ふたりのほかには誰もいなかった。そして、ふたりはそれをいいことにした。

「何がおかしいんだ?」と、彼は、ジゼールの手くびをつかんで言った。少女は身をもがいた。そして、さらにはげしく笑いつづけた。と、たちまち少女は笑うのをやめた。

「ほんとにあたし、こんなに笑うのをやめなくっちゃ。でないと、お嫁さんにもいけないわね」

「おや、お嫁さんに行くつもりかい?」

「そうよ」少女は、やさしい、犬のような目で見あげながら言った。彼には、ぽちゃぽちゃした、野育ちのままの彼女のからだが目にはいった。そして、今年十二のこの小娘も、いずれは一人まえの女になり、お嫁に行くんだとはじめて考えた。彼は少女の手くびをはなした。

「どこへ行くんだね、ひとりで、帽子もかぶらずに、ショールもしないで？　もうじきお昼のご飯じゃないか」

「おばさんをさがしてるのよ。どうしてもわからない問題がひとつあるの……」と、少女は、少ししなをつくりながら言った。少女は顔をあからめた。そして、階段のかげ、そこからひとすじの光のさしている部屋のふしぎなドアをさしてみせた。

「はいってみたいのかい？」

少女は、赤い唇を動かしただけで、声には出さずに《うん》と言った。

「しかられるぞ！」

少女はためらった。そして、からかわれているのではないかと思って、大胆な目つきでじっと彼をみつめた。やがて、少女ははっきり言った。

「だいじょうぶよ！　だって、それは罪ではないんですもの」

アントワーヌは微笑した。《おばさん》は、まさにそういうふうに善と悪とを区別していた。彼は、この少女に及ぼす老嬢の感化が、はたしていいものかどうかを考えてみた。だが、それはジゼールを一瞥することによって安心できた。まさに、どこまでも伸びることができ、なんの後見をも必要としない、健康な植物そのままの彼女だった。

ジゼールは、半びらきになったドアから目をはなさなかった。

「さ、おはいり」と、アントワーヌが言った。

少女は歓声を押しころした。そして、はつかねずみのように部屋の中へすべりこんだ。

《おばさん》はひとりだった。彼女は、ベッド椅子の上によじのぼり、つまさきで立ちながら、やっとのことで、壁の上にキリストの像をかけおわるところだった。それは、ジャックが、最初の聖体拝受をしたとき、彼女の贈ってやったもの、そして、これからも、少年の眠りをまもってくれるところのものだった。彼女は、陽気で、幸福で、若やいだ気持ちになっていた。そして、動きまわりながら、鼻うたをうたっていた。彼女は、控え室の中にアントワーヌの足音を聞いた。そして、自分が時間を忘れていたことを思いだした。そのあいだに、ジゼールは、ほかの部屋をひとまわりした。そしてうれしさをおさえきれず、両手をたたいて踊っていた。「おや!」《おばさん》は、こうつぶやくなり飛びおりた。彼女は、鏡の中に、自分の姪が、あけはなされた窓からの風に髪の毛を吹きなびかせているのを見た。少女は、まるで小やぎといったように、その場で踊りはね、はりさけそうな声で、

風通しはうれしいな!

風通しはうれしいな!


と、歌いわめいていた。

《おばさん》には、何がなんだかわからなかった。またわかろうともしなかった。彼女は、少女が、言いつけにそむいてここへやって来たことなど思いついてさえいなかった。それは彼女が、六十六年の昔から、出たとこ勝負の運命に、ただ身をまかせるという習慣を持っていたからのことだった。だが、いま彼女は、あっというまに、着ていたケープのホックをはずし、少女の上におどりかかったと思うと、やっとのことでその中に少女をつつみ、何ひとことこごとも言わず、少女を引きずりながら、さっき少女がおりて来たときよりもっと早く、三階への階段をあがらせた。そして、掛けぶとんをかけて寝かせ、煮えかえるような煎じ薬を一杯のませてから、はじめてほっとひと息ついた。

　こうした彼女の心づかい、それはぜんぜん理由のないものとはいわれなかった。ジゼールの母親であるマダガスカル生まれの女は、当時、タマターヴ（マダガスカル東部海岸にある港町）に駐屯中のドゥ・ヴェーズ少佐と結婚したが、子供が生まれて一年もたたないうちに、肺結核で死んでしまった。その後二年、少佐もまた正体のはっきりしない緩慢な病気、妻から移されたのではないかと思われる病気で死んでしまった。そして、孤児になった少女のただひとりの親戚である《おばさん》が、彼女をマダガスカルから呼びよせて世話することになってこのかた、少女は、一度も心配するほどのかぜをひいたこともなく、それに、頑健な体質だということは毎年彼女をみてくれるあらゆる医者、ないし専門家たちの手で、ちゃんと時をきめて、たしかめられ、保証されていたにかかわらず、おばさんには、そうした遺伝という脅威が、いつも尽きない心配の種だった。

学士院の投票も二週間の向こうにせまったいま、チボー氏は、ジャックの帰って来るのを待ち遠しがっているらしかった。ジャックは、次の日曜日に、フェーム氏が、パリへつれて帰ることになっていた。

その前日にあたる土曜の晩、アントワーヌは七時に病院を出て、家の人たちと食事をしないですむようにと、近所のレストランで晩食をすませ、早くも八時には、ひとりで、うれしそうに、新しい住まいへ足を踏み入れた。彼はその晩、はじめてここで寝ることになっていた。鍵穴に鍵を差し込むと、自分の背後にぱたりとドアをしめるということ、それが彼にとってはうれしかった。彼はいたるところに電気をともし、わが王国の中を小またに歩きまわってみた。彼は、自分のためにと、往来へ向いたほうの部屋を取っておいた。大きな部屋がひとつと、小さな部屋がひとつ。第一の部屋には、たいして家具を置かなかった。丸テーブルのまわりには、ひとつひとつばらばらなひじかけ椅子がいくつか。ここは患者がやってくるとき、さしあたり待合室にあてることにしていた。二番めの部屋、一番大きなその部屋には、父の住まいで暮らしていたときのいろいろな家具をおろしてこさせた。大きな仕事机、本箱、皮張りひじかけ椅子が二脚、そのほか彼の勤勉な生活を物語るいろいろなもの。そして彼は、化粧室と物干し場のついている小さな部屋の中に、ベッドをすえさせた。

書物は、控え室の中、まだあけてないトランクのそばのゆかの上に積まれていた。家の暖房は、やわらかい暖かさをつたえ、新しい電球は、すべてのものの上に、あからさまな光を投げていた。いま、アントワーヌの前には、この新居に落ちつきをあたえるための長いながいひと晩があった。これからの何時間かのうちに、すべての荷をほどき、整頓し、これからの生活の道具だてをととのえなければならなかった。階上では、おそらくいまごろ、食事が終わりかけているにちがいなかった。ジゼールは、皿の上で眠りかけているにちがいなかった。チボー氏は、駄弁を弄しているにちがいなかった。アントワーヌは、なんという落ちついた気持ちになれたことだろう。なんというたのしいひとりぼっちになれたことだろう！　切込み暖炉の上の鏡が、彼の上半身をうつし出していた。彼は、かなりいい気持ちになって、そのほうへ歩みよった。彼は、鏡に向かうとき、肩を張り、あごを引きしめ、いつもま正面から、鋭い眼差しでじっとわが目を見つめるくせをもっていた。彼は、自分のあまりに長すぎる胴体、あまりに短すぎる足、細い腕、そして、貧相とさえ言えそうなからだの上に、あまりにもがっちりした頭、ひげのあることによってさらにどっしりしたものに見える頭のついている不調和を忘れたく思っていた。彼は、自分が、首の太い、たくましい若者であってほしいと思い、そして、自分でもその気になっていた。彼は、自分が顔をしかめているときの表情が好きだった。というのは、彼はいつも、さも生活の一刻一刻のうえにあらゆる注意を集中する必要があるとでもいうように、あまりにもひたいにしわをよせすぎた結果、まゆげの線にそって肉がたかくなり、そのたかまりのかげにかくれて、眼差しには何か片いじらしいひらめきが見られ、それを彼は、いかにも自分の精神を如実にしめしているしるしででもあるかのように思っていたのだった。

《まず本から始めるかな》彼は、上着をかなぐり捨て、からの本箱のとびらを勢いよくあけながら思った。《さて……講義のノートは下にする、と……辞典は手の届くところに……治療学と……よしよし……トラ、ラ、ラ……なんとかいっても、これでどうやらできあがった。階下に自分の住まいができ、そしてジャックが帰って来る……三週間まえ、誰に想像できただろう……?》《彼は不撓——不屈の精神を持ってる》と、彼は、誰かの声色をつかうように、笛を吹くようなちょうしでつづけた。《忍耐に富み、不撓不屈!》彼は、鏡のほうを、愉快そうにちらりとながめ、くるりと向きを変えようとして、あやうくあごの下でささえていた小冊子のたばをくずすところだった。《それ、静かに! よしよし! これで棚が生きてきた……こんどは書類だ……今夜は、書類整理箱の中に、元あったように、カードをしまうことにしよう……だが、ノートや観察も、もうじきしらべなければならない……もうずいぶんかさ高になったことだし……論理的な、はっきりした分類をする。ひと目でわかるような索引をつけて……フィリップ先生のところのように……カード式にした索引を……もっとも、えらい先生たちは、誰でもやってることなんだが……》

軽い、ほとんど踊っているような足どりで、彼は控え室と整理箱とのあいだを往復した。とつぜん彼は、あどけない、思いがけない笑みをひたいに浮かべた。《アントワーヌ・チボー先生でいらっしゃいます》と、彼は呼びあげた。そして、ちょっと立ちどまってから顔をあげた。《チボー先生……チボー先生、それ、小児科専門の先生で……》彼は、ちょっと横に飛びすさり、かるくおじぎをしたあとで、ふたたびもっともらしいようすで往復をはじめた。《さ、こんどは柳のトランクの番だ……二年すると、金メダルをせしめる。たちまち院長さんだ……それから病院での競争試験……だから、ここにはせいぜい三、四年、それ以上はいないつもりだ。そのあかつきには、快適な住まい、先生の家のようなやつが必要になろう》彼はふたたび、笛を吹くような声をだした。《病院きっての腕ききのチボー氏……フィリップ先生の片腕……すぐに小児科を専門にしたのはりこうだったな……あのルイゼやトゥーロンなんか……ばかなやつらだ……》

《ば――か――な――やつら――》と、彼は、自分が何を言っているのか気がついていないようにくりかえした。彼は腕に、いろいろな物をいっぱいかかえていた。そして、そのひとつひとつのため困ったような目つきで適当な置き場所をさがした。《もしジャックのやつ、医者になりたいとでも言うようだったら、このおれが助けてやろう、指導してやろう……チボー家から医者がふたり出る……悪くない。チボー家の者にとって、たしかにりっぱな職業だ！　なるほどつらくはある。だが、いくらかでも競争心を、いくらかでも自負心を持ったものには、なんと愉快なことだろう！　注意力、記憶力、意思力による努力！　しかも、けっして、これでじゅうぶんということはない。しかも、いったん業成ってあかつきには！　名医……そうだ、その例はフィリップ先生……いずれは、ああした、ものやさしい、自信のあるようすがそなわってくる……とても慇懃でありながら、しかもおかしがたいあの態度……教授……ああ、みごとひとかどの人物になり、うらやましがる同業の連中から、対診によばれるときの気持ちは！

　そしておれは、専門の中でも一番むずかしいやつ、すなわち小児科というやつをえらんだ。小児――小児には口がきけない。何か言うかと思えば、みんな嘘だ。だから、小児相手は、ひとりぼっちだ。見つけださなければならない病気とさし向かいというわけなのだ。……さいわいレントゲンというやつがある……今日では、一人まえの医者はレントゲン技術師でなければならない。そして、自分でそれが扱えなければ。だから、学位のつぎにはレントゲンの修業だ。そして、やがては診察室の隣にレントゲン室を設ける……そして、看護婦をひとり……あるいはむしろ、ブルーズを着た助手がよかろう……診察日に、ちょっと厄介な症状に出会うと、それ写真を一枚……

何よりチボーさんの信用できる点は、第一にレントゲンで調べてくれるということですよ……》

彼は、われとわが声を聞きながら微笑した。そして、鏡のほうを向いてまばたきをした。《そうだ、自負心というやつ、それはこのおれもよく知ってる》と、彼は皮肉な笑いを浮かべながら考えた。《ヴェカールさんは〈チボー家の自負心〉とも言った。たとえばおやじのごとき……たしかにそれだ。だが、このおれは、そうだ、もちろん自負心の持ち主だ。それを持っているのがどうして悪い？ 自負心というやつ、それはおれにとってのてこなんだ。あらゆる力を動かすてこだ。おれはそれを使う。おれには使う権利がある。何よりさきに自分の力を利用すること、それが肝心ではないだろうか？ しからば、このおれの力とはいったいなんだ？》微笑したので、歯ぐきがすっかりあらわれた。《それはよくわかっている。まず、おれは理解が早い。そして物おぼえがいい。これは何物かだ。つぎには勉強の能力。〈チボーのやつは牛のようにはたらく！〉大いにけっこう。言いたいやつには言わせておくさ！ みんな、できればそうしたいと思ってるんだ。つぎにはなんだ？ 精力、そうだ、あの〈す──ば──ら──し──い──精力〉》彼は、ふたたび鏡の中に自分の姿を求めながら、こうゆっくり言った。でも《それは一種のポテンシャルというようなものだ……それは十二分に充電され、働きかけるばかりになっていて、このおれに、どんなことでもさせてくれるところの蓄電池だ。だが、たといそれらすべての力があったにしても、ねえ神父さん、それを使うてこがなかったらどういうことになりましょう?》彼は手に、天井からさがっている電灯の光にキラキラ光っている、ニッケル製の、ひらたい医療器機入れを持ちながら、それをどこへおいたものかと迷っていた。彼はそれを本箱の上にそっとおくことにした。《きわめてけっこう》と、彼は大きな声――おりおり父親の出すような、人を愚弄するような、ノルマンディーなまりで言った。《トラ、ラ、ラ! 自負心げんざい、神父さん!》

トランクは、もうからになりかけていた。アントワーヌは、その底からふらしてんの小さな額(がく)をふたつ取りだし、たいして気にとめないようすでそれをながめた。母方の祖父と、彼の母の写真だった。祖父のほうは堂々たる老人、しゃんと立ったまま、フロックを着、手を、本をのせてある丸テーブルの上においていた。母のほうは、すっきりした目鼻だちの若い婦人、なんということもない、むしろやさしいといった眼差し。ブラウスの胸は四角にあいていて、ゆったりした巻き毛が肩の上にたれていた。いつもこの写真を見なれていた彼は、母親を、いつもこうした姿で思いだしていた。しかも写真は、母がいいなずけになったころのもの、彼は、こうした髪をしている母を知らなかった。ジャックが生まれたときには自分は九つ。母は、そのときに死んだのだった。彼はむしろ、祖父のクーテュリエのほうをよくおぼえていた、経済学者であり、マク・マオン(フランスの元帥。一八〇八―一八九三。第三共和制のとき第二回大統領となる)の友人であり、ティエール氏（フランスの政治家。一八七一年普仏戦争後の大統領だった）が失脚したとき、あやうくセーヌ県の知事になりかけ、何年かのあいだ学士院の院長をしていた。アントワーヌは、そのやさしい顔、白モスリンのネクタイのこと、ガリュシャ（一種の魚皮）のサックに入れた螺鈿（らでん）の柄のついたかみそり箱のことなどをよくおぼえていた。

彼は、二面の額縁を、暖炉の上、岩や化石の標本のあいだにすえた。あとは、いろいろな物や書類でいっぱいのテーブルをかたづける仕事だけだった。彼は、愉快そうにそれをはじめた。部屋は、みるみるうちに変わっていった。そして、すべてをかたづけてしまったとき、彼は満足そうに身のまわりを見まわした。《シーツ類、着物類は、フリューリンクおばさんの仕事だし》と、彼はものうさそうに考えた。（《おばさん》の世話からぜったいのがれたいと思った彼は、階下の住まいの家事のこと、身のまわりの世話のことは、すべて家番にやってもらうことに話をつけておいた。）彼は、タバコを一本取りだし、皮椅子のひとつにながながと身を横たえた。これときまった用件もなく、ひと晩こうしていられるなんて、じつにめずらしいことだった。彼は、ほとんど屈託しそうにさえなっていた。時刻もたいしておそくはなかった。何をしよう？　こうしてタバコをくゆらしながら、ぼんやり夢でも見ていたものか？　書くべき手紙もあるにはあったが、けっきょく、どうでもなれと彼は思った……

……《そうそう》と、彼は急に思いだして立ちあがった。《小児の糖尿病についてエモンを調べてみようと思っていた……》彼は仮とじの大きな本を取り上げた。そして、それをひざのうえにおいてページを繰った。《なるほど……知っているべきだったたな、じつに明白だ》と、彼はまゆを寄せながら言った。《おれはみごとにまちがえてた……フィリップ先生がおられなかったら、あの子は死んでしまっていた——おれのあやまちで……おれのあやまちとはいえないかもしれん。しかし、やはり……》彼は、書物をとじ、それをテーブルの上にほうり出した。《ああした場合、先生はなんて冷淡な口をきくんだろう！　じつに見識ぶっておられる。そして、自分の地位の上に立ってツンとしておられる！〈チボー君、きのどくだが、きみの命じた療法では、患者はますます悪くなる一方だね！〉しかも、それを、通勤医師や看護婦たちのまえで言うなんて。なんていういじわるさだ！》

彼は、両手をポケットの中へ突っこんで、幾歩かあるいた。《おれはこう答えればよかったんだ。そうだ、おれはこう言えばよかったんだ。〈それには先生、先生もひとつご自身の務めをお守りいただきたいですな……！〉まさにそのとおりだ。すると、先生はこう答えるだろう〈チボー君、その点に関しては、何もつべこべ……〉だがおれは、一本、釘をさす。〈失礼ですが先生、もし先生が、朝、時間どおりにおいでになり、診察料の取れる患者を見るため十一時半に姿を消したりなさらず、ちゃんと診察の終わりまでおいでになったら、わたくしも先生のお仕事をする必要もなく、したがって、まちがいをすることもありますまい！〉みんなの前で、ぴしゃりと引っぱたかれるこったろうな！二週間くらいは、たしかに仏頂づらを見せられるこったろう。だが、そんなことなどかまうもんか》

彼の顔には、とつぜんいじわるそうな表情が浮かんだ。彼は肩をそびやかした。そして、うわの空で置き時計を巻きはじめた。だが、彼は、とつぜん身ぶるいをした。そして上着を着ると、ついいましがたまで腰掛けていた椅子へ行って腰をおろした。さっきまでの楽しそうなようすは、すっかり影をひそめてしまっていた。彼の心には、ただ一抹の寒けだけが残っていた。《ばかめ！》と、彼は、うらみのこもったような微笑を浮かべながらつぶやいた。彼はいらいらしながら両足を組み、べつのタバコに火をつけた。だが、《ばか！》と言いながらも、彼はフィリップ博士の目の確かさ、経験、驚くべき直観力のことを思いつづけていた。そして、このとき、彼には、先生の天才が、まるで圧倒するような一団の力として考えられた。

《しかるに、おれはどうだ、このおれは？》彼は、息づまるような気持ちでわれとわが心に問いかけた。《おれには、いつか、先生のように目の見えてくる日があるだろうか？ ほとんど誤ったことのないあの烱眼（けいがん）、しかもそれのみよく偉大な臨床家を作りだすところのもの、それをはたしてこのおれが……なるほど、記憶力、精励、忍耐だが、このおれには、そうした下まわりの美点以外に何がある？ 診断……しかも、なんでもない診断なのに、おれがつまずきをしたのは、けっしてこれがはじめてではなかった。そうだ、あれはきわめてなんでもない診断、典型的なひとつの場合、はっきりした特徴があったんだ……ああ》と、彼は急に腕を突きだした。《いくら待ってても来てはくれない。勉強するんだ！ つかみ取るんだ！》彼の顔色は青ざめた。《しかもあした、ジャックが帰って来る！》と、彼は思った。《あしたの晩、ジャックはここ、この部屋にくるだろう。そしておれは……おれは……》

彼は、ひと飛びすると立ちあがった。弟といっしょに暮らそうという彼の案は、たちまち現実の光分が引きうけた責任のことなど、考えてなぞいられなかった。彼はいま、今後どうしたところで、自分の活動をさまたげずにはいないであろう束縛のことしか考えていなかった。いったいどうした思いちがいで、彼を救いだす責任を持ったりしたのだろうか？　むだな時間でもあったのだろうか？　自分の目的以外のことにふり向けるため、一週一時間の暇でもあったのだろうか？　ばかだった！　われとわが身で、自分の首に石ころを結びつけたというわけなんだ！　そして、いまとなっては、引くにもひけないありさまなのだ！

彼は、機械的に玄関を抜け、ジャックのためにととのえられた部屋のドアをあけた。そして、化石したようにしきいのところに立ちすくみ、暗い部屋のなかをのぞきこむようにした。彼は、ふたたび絶望感にとらわれた。《静かにしていようと思ったら、いったいどこへ逃げたらいいんだろう？　勉強するためには、自分のことだけを考えているためには！　どこへ行っても譲歩だらけだ！　家族、友だち、それにジャック！　みんな腹をあわせて、おれの仕事のじゃまをしている。おれの一生をだいなしにするんだ！》頭がほてり、のどがからからになってきた。彼は台所へ行って、冷たい水を二はいのんだ。そして、ふたたび、自分の部屋にもどって来た。

彼は、元気のないようすで着物をぬぎはじめた。まだ住みなれないこの部屋の中、日ごろ使いなれた品物まで妙にあらたまって見えるこの部屋の中、自分がまるで流しものにでもなったように感じた彼は、すべてのものが、とつぜん自分にたいして敵意を持っているように思った。

彼は、横になるまでに一時間かかった。そして、眠りつくまでにはさらに多くの時を要した。彼はいままで、これほど身近に町の物音に接したことがなかった。ひとりひとりの足音が往来に響いて、ぎょっとせずにはいられなかった。彼は、いろいろつまらぬことを考えていた。めざまし時計を修繕させること、このあいだの晩、フィリップ先生の家での集まりの帰り、車がみつからないで困ったこと、など……時おり、ジャックの帰って来るということが、刺すような鋭さで胸に浮かんだ。そして彼は、せまいベッドの中で、絶望的に寝がえりをうった。

《何はともあれ》と、彼は憤然として考えた。《おれはこれから、自分の生活を打ち立てなければならない。なんとからちがあいてくれるといいが！　なにしろいったんきめたからには、ここにおいてやることにしよう。勉強の方針も立ててやろう。だが、それからさきはおかってにだ！　おれはたしかに、きみのめんどうをみることを引き受けた。だが、待った！　おれ自身の成功もじゃまされたくない！　このおれ自身も、自分の生活を立てなければ！　そして、それ以外のすべてのことは……》ジャックにたいする彼の愛情は、今夜、その片鱗をさえ見せていなかった。彼は、クルーイへ行ったときのことを思いだした。彼は、やせ細り、孤独にさいなまれた弟の姿を思い浮かべた。《あるいは結核かもしれない。もしほんとにそうだったら、おやじを説得して、りっぱなサナトリウムに入れてやろう。スイスなんかより、オーヴェルニュとか、ピレネーあたりがいいだろう。そして、おれはひとりでいることにしよう。時間も自由、心ゆくばかり自由に勉強できるだろう……》彼は、思わずこう思った。《そして、あいつの部屋をおれが使って、そこを寝室にする……》

八

翌日、目をさましたとき、アントワーヌはおよそそれとは正反対な気持ちだった。そして、病院での朝のあいだ、彼は、楽しいもどかしさの気持ちで、いくたびとなく時計を見た。彼には、フェーム氏の手から、弟を受けとりに行くときのくるのが待ちどおしかった。彼は、時間よりもずっと早く停車場へ行った。そして、行ったり来たり歩きまわりながら、フェーム氏にたいし、少年園のことについて、自分の言ってやろうと思う言葉を復習していた。だが、汽車がプラットフォームに着き、旅客の列の中にジャックと園長の眼鏡が見えたとき、彼は、用意していたはずの言葉も忘れて、ふたりを迎えに駆けだした。

フェーム氏は、はればれした顔をして、さもアントワーヌを、一番の親友とでも思っているようなようすだった。なかなか気どった服を身につけ、はでな手ぶくろをはめ、ひげもそり立てで、かみそりまけを防ぐため、顔にパウダーをつけていた。彼は、兄弟を、家まで送って行くつもりでいるらしかった。そして、近所のカフェーのテラスで、口をぬらさせようとした。アントワーヌは、タクシーを呼びとめて、さっさと別れることにした。フェーム氏は、ジャックの荷物を、自分で腰掛けの上へひっぱりあげてやった。そして、車が動きだしたとき、あやうくエナメル靴の先をつぶされかけながら、も一度からだを車の中につっ込んで、興奮しながら、ふたりの青年の手を握った。そして、アントワーヌに、どうか大先生によろしく、と言った。

ジャックは泣いていた。

彼は、兄の親切な出迎えにたいして、まだひとことも口にせず、身ぶりにさえもあらわさなかった。だが、こうした弟の元気のないようすは、さらに、アントワーヌに、同情と、胸いっぱいの新しい同情をそそり立てさせた。もし誰かが、彼に向かって、ゆうべの憤慨のことでも言いだしたとしたら、彼はおそらくそれを否定して、自分はいつでも、弟が帰ってくることにより、きょうまでのたまらなく空虚で索漠な生活にはじめて目的のあたえられるのを待っていたと、心の底から断言したにちがいなかった。

さて弟を、ふたりの住まいの中にはいらせ、うしろにドアをしめたとき、彼は、ちょうど恋人に、その人のためにととのえておいた住まいを見せてやる男とでもいったような、うきうきした気持ちになっていた。彼はそれに気がついた。そして、われとわが身を、ばかだなと思った。だが、おかしかろうとかまうものか。彼は、自分を幸福だと思い、また親切だと思っていた。そして、たとい弟の顔の上に満足のかげさえうかがわれないでも、自分の計画の成功について少しも疑っていなかった。

《おばさん》は、ジャックの部屋を、彼の帰ってくるすぐまえに、も一度見まわった。彼女は、部屋が気持ちのよいようにと思って、暖炉に火をつけ、目につきやすいところに、ヴァニラのにおいの砂糖をまぶしたアーモンド入りの菓子のひと皿をおいた。それはこの町内での名物で、かつてジャックが大好きだった菓子だった。ナイト・テーブルの上、水盤の中には小さなすみれの花たば、それには、ふちにぎざぎざをつけた紙の旗がたてられていて、その上にジゼールが、いろいろな色で、

ジャコちゃんへ

と書いておいた。

だが、ジャコは、そうした準備に少しも注意しなかった。部屋にはいり、アントワーヌが外套をぬいでいるあいだ、彼は帽子を手にしたまま、ドアのそばの椅子に腰をおろした。

「どうだ、ひとまわり家の中を歩いてみるか！」と、アントワーヌが言った。

少年は、べつにいそぐようすもなく、兄のあとにしたがって部屋部屋を、気のなさそうに見てまわると、やがてもとの部屋へもどってきて、ふたたび椅子に腰をおろした。彼は、何かを待っており、何かを恐れているようだった。

「どうだ、《みんな》に会いに行くか？」と、アントワーヌが言った。そして、ジャックが身をふるわせたのを見た彼は、弟が、ここに着いてからというもの、ずっとそのことだけしか考えていなかったことを理解した。弟は、まっさおになった。そして、目を伏せた。だが、彼はすぐに立ちあがった。それは、運命の時のくるのにおびえながらも、一方、少しでも早くけりをつけてしまいたいというよ

うだった。

「さ、行こう。なあに、ちょっと顔を出して、すぐ帰って来るんだ」と、アントワーヌは、元気をつけてやろうとして言った。

チボー氏は、書斎でふたりを待っていた。彼はきわめて上きげんだった。空はよく晴れていた。もう春も近かった。彼はその朝、会堂の大ミサに列し、そこの特別席に腰をおろしながら、いい気持ちで、次の日曜には、このおなじ席に、まちがいなくひとりの新学士院会員がすわることになるのだ、と心のうちに思っていた。彼は、ふたりの息子を出迎えた。そして、弟息子をだいてキスしてやった。ジャックは、すすり泣いていた。チボー氏は、その涙の中に、悔恨と、よき決心のしるしを見た。そして、自分でも見せまいと思っていたほどの感動を見せてしまった。彼は、少年を、切込み暖炉を中心に並べられた、高いもたれのついたひじかけ椅子のひとつにかけさせた。そして、自分は立ったまま、両手を背にまわして、行ったり来たりしながら、いつものくせで、せいせい息をきらせながら、やさしいと同時に厳然としたちょうしで、簡単な訓戒をあたえた。こうして彼が父の家に帰れるようになったわけ、そして、アントワーヌにたいしても、父たる自分にたいすると同様、じゅうぶんな尊敬と服従とをあらわさなければならないというようなことを。

訓戒は、思いもかけない来客のため、終わりのほうをはし折られてしまった。来客というのは、近く同僚になるはずの男だった。客間であまり待たせてはいけないと思って、彼は、息子たちに向かって、帰ってもいいと言った。彼は、ふたりを書斎のドアのところまで送ってやった。そして、一方でとばりをかかげてやりながら、片方の手を、後悔している息子の頭の上においてやった。ジャックは、父の指が髪をなでてくれ、首筋のあたりを軽くたたいてくれたのを感じた。これが初めてと思われるほどの打ちとけかた、彼は思わず感激せずにはいられなかった。くるりとふり向いた彼は、大きな、ぶよぶよした父の手を取り、それを、唇へ持っていこうとした。びっくりしたチボー氏は、不愉快そうに目をあけた。そして、当惑したように、手をひっこめた。

「さあさあ……」と、父は、しきりに首をカラーからつき出そうとしながらつぶやいた。こうした感傷的な見せかけ、それが彼には、どうも好もしいものに思われなかった。

《おばさん》は、晩禱に出かけるため、ジゼールに着物を着せていた。想像していたようなわんぱく息子のかわりに、顔色のわるい、目を赤く泣きはらした大がらな少年がはいってきたのを見たとき、《おばさん》は、驚きのあまり両手を合わせた。そして、ジゼールの髪に結んでやろうとしていたリボンをとり落とした。あまりにもびっくりした彼女は、最初、キスする気にさえなれなかった。

「あれまあ！　あなただったの？」彼女は、ようやくこれだけ言って、彼のほうへ飛びついた。彼女は、ジャックを、自分のケープの上にだきしめた。それから、じっと見きわめようとしてうしろへさがった。きらきらした彼女の目は、むさぼるようにジャックの顔をながめていた。だが、そこには、かつて自分の愛していたものの面影さえも見いだせなかった。

ジゼールは、さらに失望し、すっかり気おくれして、笑いださないように唇をかみしめながら、じっと敷物を見つめていた。ジャックからの最初の微笑をうけたのは彼女だった。

「忘れたかい？」と、彼は、ジゼールのほうへ歩みよりながら言った。それで話のいとぐちができた。彼女は、ジャックの腕の中へ飛び込み、その手をしっかりつかんだまま、まるで子やぎのように飛びはねた。だが、その日、彼女は何ひとことジャックに言う気にならなかった。花を見てくれたかとたずねることさえ。

みんなはいっしょに階下へおりた。ジゼールは、あいかわらず、ジャックの手を取ってはなさなかった。少女は、若い動物といったような肉感で、黙ってジャックにからだをすりよせていた。ふたりは、階段の下で別れた。だが、丸天井の下のところで、少女はくるりとふり返った。そして、ガラス戸ごしに、彼のほうへ両手で大きなキスを投げた。だが、それは彼の目にはいらなかった。


住まいへ帰り、さてふたりきりになったとき、アントワーヌは、ジャックのほうをひと目見ただけで、弟が家族の者たちに会ってほっとしていること、状態がよくなってきていることを見てとった。

「どうだい、ふたりで愉快にやっていけそうかね？　え？」

「ええ」

「さ、おかけ。おかけよ。その大きいひじかけ椅子がいい。とてもかけごこちがいいんだから。お茶を入れよう。腹はへってない？　菓子を取ってこいよ」

「ぼく、たくさんだ」

「ぼくがはしいのさ！」いまは何ひとつ、アントワーヌの上きげんをそこなうようなものはなかった。この孤独な勉強家は、いまや人を愛し、保護してやり、ともにわかち合うことのたのしさを知っているのだった。彼は、何のわけもなしに笑っていた。なんとも幸福な陶酔の気持ち。それは、彼をして、いままでにないほどうちとけた気持ちにさせていた。

「タバコは？　いらない？　ぼくを見ているな……すわない？　いつまでもぼくを見ているな、まるで……ぼくがわなを張ってでもいるようだな？　さあさあ、少しくつろぐんだ。も少し人を信用するんだ。もう少年園にいるんじゃない！　まだこのぼくが信用できない？　え？」

「ううん」

「どうだっていうんだ？　ぼくがだましたとでも思ってるのか？　帰って来させてもらったが、思ったほど自由じゃないとでも思ってるのか？」

「い……いいえ」

「なにがこわいんだ？　心残りでもあるというのか？」

「いいえ」

「といって？　そのむずかしいひたいのうしろで、いったいなにを考えてるんだ？　え？」

彼は、弟のそばへ歩みよって、あわやその上に身をかがめ、キスしてやろうとして、思いとまった。ジャックは、アントワーヌのほうへさびしそうな目をあげた。そして、相手が返事を待っているのを見ると、

「なぜそんなことを聞くの？」と、言った。そして、軽く身をふるわせたあとで、低い声でつけ加えた。「そんなこと、なんの役にたつの？」

短い沈黙の一瞬があった。アントワーヌは、あわれみをこめた眼差しで、弟の身を包んでやった。すると、ジャックは、ふたたび泣きたくなってきた。

「きみはまるで病人だな」と、アントワーヌは、情けなさそうなちょうしで言った。「だが、いまになおるさ。信用するんだ。ぼくにすっかりまかせるんだ……愛されるままになってるんだ」と、彼は、少年のほうを見ずに、おずおずしたようすでつけ加えた。「きみとぼくは、まだよくわかりあっていないんだ。考えてみるがいい。九つも年のちがうぼくたちふたりだ。きみがまだ子供のころ、ふたりのあいだには、まるでみぞでもあるようだった。ぼくが二十になったとき、きみはやっと十一だった。ぼくたちふたりは、何ひとつ共通というわけにはいかなかった。だが、いまはすっかり変わっている。ぼくは昔、きみを愛していたかしら。どうもそうではなかったらしい。どうだ、ぼくはあけすけに話すだろう。だがいま、ぼくには、それがちがってきていることが感じられる。きみがこうしてぼくのそばにいてくれると、ぼくはとても満足なんだ……胸がおどってきさえするんだ。ふたりで暮らせば、ずっと生活も楽にできるだろう。また、よりよき生活もできるだろう。そう思わないか？　ねえ、病院がすんだら、ぼくは大急ぎで一刻も早くわれらの家へ帰ってくる。と、きみは熱心に勉強をすまして、机の前にすわっている。ね？　晩には、早くここへもどって来て、めいめいランプのかげに落ちつくんだ。そして、おたがいが見えるように、すぐそばにいることがわかるように、ドアをあけはなしにしておく……また、ある晩は、おしゃべりをする。友だち同士のようにおしゃべりをするんだ。そしてふたりとも、なかなか寝に行く気にならない……おや、どうした？　きみ、泣いてるのか？」

彼はジャックに近よって、ひじかけ椅子の腕木に腰をかけた。そして、ちょっとためらったあとで、弟の手を取った。ジャックは、涙の顔をそむけていた。だが、両手にアントワーヌの手を握り、長いこと、熱に浮かされでもしたように、砕けるかとばかりにそれを握りしめていた。

「兄さん！　兄さん！」と、やがて弟はおしつぶされたような声でさけんだ。「一年このかた、ぼくには、じつにいろいろなことがあったんだ……」

あまりに激しくすすり泣くので、アントワーヌは問いかけるのをさしひかえた。彼は、ジャックの肩のまわりに腕をかけ、やさしく弟をだいてやった。これまでにもすでに一度、あの馬車のくらがりの中でふたりが初めてうちとけて語り合ったとき、彼は、こうした酔うような理解の瞬間、ふたりにとって、力と意思とがとつぜんもりあがってくるような気持ちを感じた。その後、あるひとつの考えがしばしば彼の胸を訪れたが、それがとつぜん、今夜という今夜、ふしぎなもりあがりを見せてきたのだった。彼は立ちあがった。そして部屋の中を歩きはじめた。

「ねえ」と、彼は、特殊な興奮とともに話しはじめた。「いったいなぜ、きょうこんなことを話す気になったんだろう。もっとも、このことについては、あらためて話す機会もあるだろう。ところでぼくは、こうしたことを考えてる。すなわち、ぼくたちふたりは兄弟なんだ、と。それは見なんでもないことだ。だが、ぼくにとって、これは、きわめて新しい、しかもきわめて重大なことなんだ。兄弟！　それは単に、血をおなじくしているというだけのことではない。生まれたときから、まったく株をおなじくし、樹液をおなじくし、いきおいをおなじくしているということなんだ！　ふたりは単に、アントワーヌ、ジャックというふたりの個人ではない。ぼくたちは、チボー家に生まれたふたりの人だ。われらはじつにチボー家なのだ。ぼくの言うことがわかるかね？　そして、恐ろしいのは、それは自分自身のなかにこうした力を持っているということ、このおなじいきおい、チボー家のものとしてのいきおいを持っているということなんだ。わかるかね？　われわれチボー家のものは、ほかの人たちとはちがっている。われわれは、ほかの人たちより、もっと余分のものを持っている。そして、ぼくは、それこそふたりが、チボー家の人間だからにほかならないとさえ思ってるんだ。ぼくは、自分の通ってきたあらゆるところで、中学であれ、大学であれ、病院であれ、いたるところで、自分はチボー家の人間だ、特別な人間だ、と思ってきた。なにも、ほかの人たちよりすぐれた、とは言わない。だが、そう言ったところで、なんの悪いことがあるだろう？　そうだ、ほかの人たちより、すぐれてるんだ、ほかのやつらの持たない力を持ってるんだ。そして、きみは？　なるほどきみは学校ではなまけものだった。だが、そうしたきみも、何か心のなかで、ほかのやつらを、力において追いこしてやろうといういきおいを持っていたとは思わないか？」

「ええ」とジャックが言った。弟は、もう泣いてはいなかった。彼は、興味をもって、まじまじと兄を見まもっていた。そして、顔の上には、とつぜん知能と成熟とのあざやかな表情が浮かび、それが彼をして、年より十ばかりもふけて見えさせていた。

「ぼくは、ずいぶんまえからこのことに気がついていた」と、アントワーヌは言葉をつづけた。「われわれのなかには、さ、なんと言ってよいか、自負心と、荒々しさと、ねばりづよさの、何かしら特別にまじりあったものがあるらしい。たとえて言えば、おやじだ……だが、きみはおやじをあまり知っていない。それにおやじはおやじで、またいっぷうかわっている。さて」と、彼はちょっとまをおいてからつづけた。そして、ジャックと向かい合って腰をおろしながら、ちょうどチボー氏がやるように、上体をかがめ、両手をひざの上においた。「きょう、ぼくが、たったひとつ言いたいと思っていたのは、それは、そうしたかくれた力が、絶えずぼくの生活にあらわれていたということだ。さあなんと言ったらいいか、たとえばあの波のように、泳いでいるとき、とつぜん底からもりあがり、からだを持ちあげ、からだをはこんで、ひと飛びでぐっと空間をおどり越えさせてくれるあの波といったように！　いまにわかるさ！　それはじつにすばらしい。だが、それを利用することを知らなければ。人にしてこの力さえあれば、もうどんな不可能も、どんな困難もあり得ない。そして、きみとぼくと、ふたりにはこの力がある。まずきみについて話してみよう。いまこそじつに、きみのなかにあるこの力をはかり、それを知り、それを用いなければならないときだ。いままでむなしくすごされた時間、きみはそれを、ただ望みさえしたら一挙に取りもどすことができるんだ。望むのだ！　万人必ずしも、望めるわけではない。（そして、このぼくも、つい近ごろになってそうした事実を知ったのだ。）ぼくは、望むことができる。そしてきみもまた、望むことができる。チボー家のものは、望むことができるんだ。そのゆえにこそ、チボー家のものは、あらゆることを計画できるんだ。ほかのやつらを追いこすこと！　いやおうなしにおさえること！　これがたいせつだ。ひとつの種族のなかにかくれているこの力。それを、必ず目的にまで到達させなければ！　チボー家なる木は、われらによって花咲かなければならない。ひとつの血脈の一斉開花だ！　わかるかね？」ジャックは、沈痛な注意をこめて、じっとアントワーヌの目をみつめていた。「わかるかね、ジャック？」

「わかる！」答えた声は、ほとんどさけびに近かった。明るい彼の目は輝いていた。声の中には、一種のいらだちがふるえていた。唇のすみには、奇妙なしわがよっていた。まるで、思いがけないいぶきによって、心の底までくつがえされ、兄をうらんででもいるようだった。からだがぴりりとけいれんした。と、その顔はゆるみ、とても疲れたような表情にかわった。

「ああ、そっとしといて！」と、急に弟が言った。そして、ひたいをがっくりたれると、それを両手でかかえた。

アントワーヌは黙っていた。彼はじっと弟を見まもっていた。この二週間、さらになんとやせ、色つやが悪くなったことだろう！　褐色の髪は、短く刈られていて、それが頭蓋骨の異常な大きさをしめし、また、ぴんと立っている耳や、折れそうな首すじのあたりを、さらにはっきり浮かびあがらせていた。アントワーヌは、こめかみのあたりの透きとおった皮膚、顔色の悪さ、目のまわりのくまなどに気がついた。

「わるさはやめられたかね？」彼は、だしぬけにこう言った。

「なに？」とジャックはつぶやいた。いままで澄んでいた眼差しが曇った。そして、顔をあかくした。それでいて、あいかわらず、白ばっくれた、おどろいたふりをしつづけていた。

アントワーヌは、何も答えなかった。

時刻がたった。彼は時計を出してみてから、立ちあがった。五時ごろに、往診しなければならないところが一軒あった。彼は、弟に、これから晩飯まで、ひとりにしておくことを言ったものかどうかとためらった。だが、予想に反して、ジャックは、むしろ彼の出かけるのを喜んででもいるようだった。

事実、ひとりになったとき、ジャックはほっとしたような気持ちになれた。彼は、住まいの中を歩いてみようと思いついた。だが、控え室の中、しめてあるドアの前に立ったとき、彼は、なんともいえない不安な気持ちにおそわれた。そして、ふたたび自分の部屋へもどって、そのままそこにとじこもった。彼はまだ、ほとんど自分の部屋を見ていなかった。彼ははじめて、すみれの花束と細長い旗を見つけた。きょう一日のあらゆること、父の応対、アントワーヌの話など、それらすべてが記憶のなかでもつれあっていた。彼は、長椅子の上に横たわり、そして、ふたたび泣きはじめた。そこには、なんの絶望もなかった。そうだ、彼は、主としてつかれきったために泣いていたのだった。と同時に、この部屋のため、すみれのため、また父が自分の頭にのせてくれたあの手のため、アントワーヌのいろいろな心づくしのため、またこの新しい、未知の生活のために泣いていたのだった。彼は、人々が、右からも、左からも自分を愛してくれようとしていることのために泣いていたのだった。人々が世話をしてくれ、物を言ってくれ、ほほえんでくれようとしていることのため、そうしたすべての人々にむくいなければならないことのため、けっきょく、じっと静かにしている生活が終わったことのために泣いているのだった。

九

アントワーヌは、急激な変化をさけさせるため、ジャックの復校を十月までのばすことにした。彼は、いずれ大学教授になるはずの旧友たちに会って、弟の知能をゆっくり再教育していくための集中的な勉強のプログラムを立てた。三人の別々な教師が、この仕事を分担してくれた。それは、すべて若い人たちであり、彼と友人同士だった。熱心な生徒は、定められた時間に、自分の集中力に応じた勉強をした。やがてアントワーヌは、少年園の孤独な生活が、弟の思考力のうえに、おそれていたほどの損害をあたえていなかったことを発見してうれしく思った。ある点からいうと、孤独のなかにあったため、その精神がかえって異常な成熟をしめしたものとも考えられた。そうしたわけで、すべり出しはいささかゆるやかだったが、進歩の度は、アントワーヌの期待していたよりもずっとすみやかだった。ジャックは、乱用にならない程度に、自分に許された自由を利用していた。一方アントワーヌも、それを父に言わなかったが、ヴェカール神父からの暗黙の理解によって、自由の弊害をさほどおそれていなかった。彼は、ジャックの天性がゆたかなことを知っていた。そして、それを当人の思いのままに、それ自身の方向にむかってのばしてやるのが利益であることを知っていた。最初の幾日か、ジャックは家から出ることをとてもいやがっていた。町を見ると気が遠くなってしまうのだった。アントワーヌは、ジャックに外気を吸わせるため、なんとか用事を言いつけようと思っていろいろ頭をつかった。こうしてジャックはかつて知っていた町内にもなれてきた。しかも、しばらくすると、そうした散歩がおもしろくさえ思われてきた。季節もよかった。彼は好んで、河岸にそってノートル・ダム寺院まで歩いていった。あるいはまた、テュイルリー公園の中をぶらついた。ある日のごときは、ルーヴル美術館へまでもはいってみた、だが、そこの空気は息づまりそうで、ほこりっぽく、いっぽう絵の並べ方もきわめて単調ときていたので、彼はすぐそこをとびだし、二度と行ってみようとしなかった。

食事のときも黙りこんでいた。そして、父の話だけを聞いていた。父は、きわめて封建的で、しかも取っつきがわるく、家の人たちは、みんなしんとして、仮面のかげに身をひそめていた。《おばさん》までが、いかにも感心しきっているようでいながら、そのじつ、父にたいしては、いつもほんとうの顔をかくしていた。だが、チボー氏のほうでは、そうした謙虚な沈黙を喜んでいた。それは、自分の判断を平気で人におしつけることができるからなので、彼は無邪気にも、これをもって、みんなから賛成してもらっていると思いちがえていたのだった。ただし、ジャックにたいしては、とても遠慮していた。そして、自分のした約束を堅く守って、時間の使い方についても、なにひと言たずねたりしなかった。

ただひとつ、チボー氏ががんとして聞き入れようとしないことがあった。父は、はっきり、フォンタナン家とつきあうことを禁じていた。そして、さらに安全を期するため、ことし、ジャックをメーゾン・ラフィットに行かせないことにきめていた。チボー氏は、毎年、春、《おばさん》といっしょにそこへ出かけることにしていた。そこには、フォンタナン家も、森のふちのあたりに小さな家を持っていた。こうしてジャックは、この夏を、アントワーヌとおなじように、パリで過ごすことにきめられていた。

フォンタナン家の人々に会ってはならないということ、それは、アントワーヌと弟とのあいだで、真剣な議論の対象にされた。ジャックの発した最初のさけびは、反抗のさけびだった。彼は、自分の友人にたいしてこうした疑念が持たれているかぎり、きょうまでの不正が断じて解消したものとは認められないと思っていた。そうしたはげしい反発は、アントワーヌにとってうれしかった。それは、彼にとり、ジャックが、すなわち真のジャックがふたたび生まれつつあることの証拠だった。だが、そうした最初の憤慨が過ぎたあとでは、彼はいっしょうけんめい説得にかかった。もっとも、ダニエルと会わない約束をさせること、それはたいしてむずかしいことではなかった。事実ジャックは、はたで考えるほど、それを望んでいなかった。じゅうぶん孤独の生活から抜けきっていなかったジャックは、ほかの人たちとべつに会ってみたいとも思わなかった。彼は、兄と親しむだけで、もうじゅうぶんであるように思っていた。いわんやアントワーヌは、彼と生活をともにしながら、単なる友人関係といったような立場をいつも忘れず、相手にたいして、年齢のちがいはもとより、自分がまかせられている権能についても、まったくけどらせないようにしていたから。


六月初旬、おりから家に帰ってきたジャックは、門のところに人だかりのしているのを見た。フリューリンクばあさんが卒中にやられ、家番室に横たわっていたからだった。ばあさんは、夕方になって、知覚を回復した。だが、右の手足がいうことをきかなかった。

それから幾日かたった朝のこと、アントワーヌが出かけようとしていたとき、誰かベルをおすものがあった。桃色のシュミゼットに黒い前掛けをかけたひとりの娘が、ドアの入口にあらわれた。彼女は、顔をあからめながら、大胆な微笑を浮かべていた。

「ご用をしに来ました。アントワーヌさま、おぼえておいでになりません？ リスベット・フリューリンクです……」

彼女には、アルザスなまりがあった。それが、彼女の子供っぽい唇で言われると、さらにだらけたように聞こえていた。アントワーヌは、《フリューリンクばあさんの親なしっ子》のことを思いだした。彼女は、昔、中庭で、よくけんけんをして遊んだものだった。彼女は、自分がおばさんの世話、それにその仕事のてつだいをするため、ストラスブールからやって来たことを説明した。そして、ぐずぐずせずに、すぐに仕事に取りかかった。

こうして、彼女は毎日毎日やって来た。彼女は盆を持ってきて、青年たちの朝食のてつだいをした。アントワーヌは、彼女がぱっと顔をあからめるのを見てからかってやった。そして、ドイツでの生活についていろいろたずねた。彼女は今年十九だった。この家をはなれてから六年間、彼女はストラスブールで、駅の近くにホテル・レストラチオン(旅館兼料理業)を経営しているおじの家に住んでいた。アントワーヌがいるうちは、ジャックも少し話の中にはいった。だが、部屋の中で、いざリスベットとふたりだけになると、彼はつとめて彼女を避けていた。

だが、アントワーヌの宿直の日には、彼女は、ジャックの部屋まで朝食を運んできた。ジャックは、おばさんの容態を聞いてやった。リスベットは、細大もらさず報告した。フリューリンクばあさんは、よくなりかけてはいるが、どうも急にというわけにいかない。ただし食欲は、日ましに回復をつづけている。リスベットは、食餌ということを、とてもたいせつに考えていた。彼女は小がらで、太っていた。そして、からだつきの軽快さから、ダンス、スポーツ、歌などがすきらしかった。笑うときには、少しもわるびれずにジャックを見つめた。快活なかわいい顔、髪は短く、心もちぼってりしたさわやかな唇、そして陶器のような目をしていた。そして、ひたいのまわりを、ブロンドでなく、麻色の髪がかこんでいた。

一日一日、リスベットのおしゃべりは、だんだん長くなっていった。ジャックの臆病さにも、どうやらだんだんなれていった。ジャックは、彼女の話を、まじめに注意しながら聞いていた。彼は、彼独特の物の聞きだし方を持っていた。そのために、いままでにも、いろいろないしょ話を聞かされていた。召使いたちの秘密、学友たちの秘密、ときには先生たちの秘密まで、リスベットは、ジャックとだと、アントワーヌといるときよりも、ずっと気楽に話ができた。そして、兄の前では、きわめて子供っぽいようすを見せていた。

ある朝、彼女はジャックがドイツ語の辞典を繰っているのを見た。そして、いままでわずかに残っていた遠慮をすててしまった。彼女は、ジャックが何を訳しているのか見ようとした。そして、それが、自分の暗唱している、自分がいつも歌ってさえいるゲーテのリートなのを見て感激した。

Fliesse, fliesse, lieber Fluss!
Nimmer werd' ich froh……(大意——流れよ、流れよ、愛らしい小川よ。わたしはけっしてうれしくないのだ……)

このドイツの詩は、彼女をよわせるだけの力を持っていた。彼女は、いくつかのロマンスを歌った。彼女は、その最初の何行かを説明して聞かせた。彼女が一番美しいというやつは、いずれも幼稚な、そして哀調をおびたものだった。

もしもわが身が鳥ならば
きみがみもとに飛びゆかん……

　だが、彼女は、シラーの詩をとても好んでいた。彼女は、じっと考えてから、一番好きな一節をひと息にぐっと暗唱した。それは『マリ・ステュアート』の一節で、囚われ人である若い女王が、牢獄の庭を少し歩いてもいいという許可をあたえられ、日の光にくるめき、青春に酔いながら、しばふの上で踊りあがるというところだった。ジャックには、言葉の全部はわからなかった。彼女は、順々に訳してくれた。そして、自由へのあこがれを表現するため、彼女がとてもナイーヴな声を出すのを聞きながら、ジャックは、クルーイのことを思いだし、しんみりした気持ちになってくるのを感じた。彼は、ぽつぽつと、いろいろ言い落としをしながらも、わが身の不幸を話しはじめた。いまもまだひとりぼっちの生活をしていて話をする機会の少なかった彼は、たちまち自分自身の声に酔ってしまっていた。彼は興奮し、好んで事実を粉飾した。そして、話のなかにいろいろな文学的な回想を挿入して話した。というのは、二カ月このかた、彼のした一番の仕事は、アントワーヌの本箱にあるあらゆる小説をむさぼり読むということだったから。彼は、こうした空想的なおき替えが、貧しい現実の物語にもまして、リスベットの感性のうえにずっと強く働きかけるのを感じた。そして、美しい彼女が、さも祖国を嘆くミニョンとでもいったように涙をふいているのを見ると、これまで経験しなかった作家的快楽といったようなものを感じ、あまりのうれしさから、あるいはこれが恋というものではなかろうかと、希望に身をふるわせながら考えたのだった。

その翌日、彼は、リスベットの来るのを待ちこがれた。彼女のほうでも、おそらくそれと察したのだろう、絵はがき、サイン、押し花などでいっぱいのアルバムを持ってきて見せてくれた。三年このかた、一人まえの娘としての彼女の生活、また彼女の全生活について、ジャックはいろいろ質問した。彼は、驚きを味わうことが好きだった。そして、自分の知らずにいるあらゆるものに驚いていた。リスベットの話は、疑う余地のない事実の上に固められていて、彼女の誠実さについて一点の疑いさえもいだかせなかった。だが、彼女の頰が紅潮を呈し、その声がずっとだらけたちょうしを取ってくると、それはまるで夢を語る人に見られるように、そこに何か作り話があり、嘘があるように思われた。町内の青年男女が集まる舞踏学校（タンツ・シューレ）の冬の晩の話をしながら、彼女はたのしそうに足を踏み鳴らしてみせた。ダンスの先生は、とても小さいヴァイオリンを手にして、拍子をとって幾組もの踊りの組のあとを追う。一方マダムは、流行のウインナ・ワルツを自動ピアノで鳴らす。夜の十二時になると、何かたべる。それから陽気ないくつもの組ができ、みんなは口から湯気を立てながら、家から家へと、たがいに送りつ送られる。だが、なかなかさよならを言う気になれないのだった。それほど、踏む雪は足に快く、それほど空はすみわたり、それほど頰にふれる風はさわやかなのだった。おりおり、下士官の連中が、常連の踊り手にまじることがあった。そのひとりに、クレディというのがおり、ほかにひとり、ウィルというのがいた。リスベットは、だいぶ長いことためらっていたあとで、制服をつけたおぜいの写真の中から、そのウィルという名のひょうきん者をさしてみせた。「ああ」と、彼女は、そでの裏で写真のほこりをふきながら言った。「とても上品で、しんみりした人だったわよ！」

彼女はどうやら、その男の家へ出かけて行ったことがあるらしかった。なぜかといえば、六弦琴、いちご、凝乳（キャイエ）などの話が出たが、話なかばに、彼女はとつぜん小さな声で笑いだし、それきり話をやめてしまったから。彼女は、あるいはウィルのことを自分のいいなずけだと言い、あるいは、もう縁の切れた人ででもあるかのような話しかたをした。ジャックは最後に、その男が、何か、ちょっとこっけいな、くさい事をしでかし、プロシャの兵営のほうにまわされたということを推察した。彼女は、そのできごとを思いだしながら、あるいはこわいといったように身をふるわせ、あるいはふきだしてみせた。部屋は、廊下のはずれにあった。そして、その廊下というのがきしむのだった。だが、それから先の話は、どうもはっきりしなかった。その部屋というのは、どうやらフリューリンクのホテルの一室らしかった。それでなければ、おじさんが、よる夜なか、中庭で下士官を追いまわし、シャツと靴下だけで往来にたたき出したことがわからなくなるからだった。リスベットは、言いわけらしく、おじさんは、家の世話をしてもらうため、彼女を女房にするつもりだったんだとつけ加えた。それにまた、おじさんはみつくちで、朝から晩まで、すすのにおいのする葉巻をすいつづけていた、ともつけ加えた。そして、微笑するのをやめたと思うと、なんのきっかけもなく、とつぜん泣きだした。

ジャックは、机の前にすわっていた。彼の前にはアルバムがひらかれていた。リスベットは、ひじかけ椅子の腕木に腰をかけていた。彼女がうつむくと、ジャックには、彼女の息がかかり、彼女のちぢれた髪の毛が、かるく耳のそばにさわった。彼は、すこしもみだらな気持ちを感じなかった。すでに悪いことも知っていた彼であったが、いまの彼によびかけているのは、まったくちがった世界だった。それは、彼のうちにはじめて見いだされたような世界であり、最近読んだイギリス小説のなかから得た世界、すなわち清浄な恋、十全と純粋との感情にほかならなかった。

その日一日、彼の想像力は、翌日彼女と会うときのことを、こまごまと組み立てつづけていた。ふたりは、家の中にふたりきり。そして、朝のうち、ふたりのじゃまをするものといっては何ひとつないはずだった。彼はリスベットを、右手、長椅子の上にかけさせる。彼女は、うつむいている。彼は、立ったまま、彼女のブラウスの切れこんだところから、おくれ毛をとおして彼女の襟足をながめている。彼女は、目をあけることができずにいる。彼は、身をこごめて《いつまでもここにいて……》と、言う。そのときはじめて、彼女は、何か物問いたげな目つきで顔をあげる。彼は、ひたいの上へキス、いいなずけとしてのキスで答えてやる。《あと五年すればぼくは二十だ。そうしたら、ぼくはパパに言う、〈ぼくはもう子供ではないんです〉って。〈あれは家番の娘じゃないか〉なんて言うものがあったら、これだ……》と、彼はおどすような身ぶりをしてみせる。《いいなずけだ！　いいなずけだ！……きみはぼくのいいなずけだ！》彼には、こうした歓喜のまえには、部屋がせますぎるように思われた。彼は外へ出た。暑かった。彼は、光の中を、とろけるような気持ちで動きまわった。《いいなずけだ！　いいなずけだ！　彼女はぼくのいいなずけだ！》

翌日、彼はぐっすり寝こんでしまっていて、彼女の鳴らすベルの音も耳にはいらなかった。そして、アントワーヌの部屋に彼女の笑い声を聞きつけて、ぱっとベッドから飛び起きた。ふたりのところへ行くと、アントワーヌはすでに朝食をすましていた。そして、出かけようとしながら、リスベットの肩を両手でつかんでいた。

「いいか?」と、アントワーヌはおどしていた。「も一度コーヒーを飲ませたりしたら、今度はおれが相手だぞ!」リスベットは、彼女独特の笑い方で笑っていた。彼女には、じゅうぶんあまくした、わき立ったところを飲むドイツふうのカフェ・オ・レが、フリューリンクばあさんに害があろうとは、なんとしても承知できなかった。

あとにはふたりだけのこった。彼女は、膳の上に、ういきょうをふりかけたねじねじの菓子を載せた。彼女はそれを、ゆうべ、ジャックのためにと思ってこしらえておいたのだった。彼女は、ジャックが朝食をたべるのを、つつましやかなようすでながめていた。彼は、腹のへっていることが腹だたしかった。彼は、こうしたことなど想像してさえいなかった。彼には、こうした現実と、あれほどたんねんに考えあげた空想の場面をどこでむすびあわせたらいいかわからなかった。さらに、まのわるいことには、ベルが鳴った。それはまったく思いがけないことだった。フリューリンクばあさんが、びっこをひきひきはいって来た。彼女は、まだ元気になっていなかった。ただ、いままでよりはよくなっていた。ずっとずっとよくなっていた。そこで、ジャックさんにごあいさつをしに来たのだった。それがすむと、リスベットは、手をかしてやり、家番室までつれもどして、安楽椅子にかけさせてやらなければならなかった。だいぶ時間がたったが、リスベットはかえって来なかった。ジャックは、こうしていることがなんともたまらなくなってきた。彼は、くさって、行ったり来たり歩きはじめた。

それは、かつての日の彼の怒りを思わせた。彼は、歯を食いしばり、こぶしをぐっとポケットの中に突っこんでいた。

やがてリスベットが姿をあらわしたとき、ジャックの口の中はかわききり、目は怒りに燃えていた。待たされたのにじりじりして、手はぶるぶるふるえていた。彼は、勉強しているようなふりをした。リスベットは、部屋のかたづけをすますと、彼にさよならを言った。彼は、本の上にうつむきこみ、死ぬほど悲しい思いをしながら、何も言わずに、彼女を出て行かせた。だが、ひとりきりになるが早いか、彼はあおむけにからだをそらし、顔になんとも苦しそうな微笑を浮かべながら、それを第三者の目でながめようとして、鏡のほうへ歩みよった。彼の空想は、またもや例の場面を思い浮かべていた。リスベットは椅子にかけている。自分は立っている。彼女の襟足が……彼は、むかむかしてきて、両手で目をおさえ、泣こうと思って、長椅子の上に身を投げた。だが、どうしても涙が出てこない。ただ、いらだちと怒りとだけが感じられた。

翌日やって来たときの彼女は、悲しそうなようすをしていた。ジャックは、自分をうらんでいるためだろうと思った。そして、怒りの気持ちもたちまちにして消えてしまった。ところがそれは、彼女のところへ、ストラスブールから悪い手紙がきたからだった。おじが、ぜひ帰って来るように言ってよこしたのだ。ホテルが客でいっぱいなのだ。おじは、一週間だけ待ってやる、それ以上は待てないと言ってきた。彼女は、その手紙をジャックに見せるつもりだった。だが、自分のほうへ歩みよって来るジャックの目の、いかにも遠慮がちで、いかにもやさしいのを見た彼女は、悲しいことなど口にしまいと決心した。彼女は、うつけたようすで、長椅子の上に腰をおろした。それはまさに、ジャックが彼女をすわらせようと思っていたところにほかならなかった。ジャックもまた、自分が空想のなかで描いていた場所に立っていた。彼女はうつむいた。そして、彼には、ちぢれ毛の下、ブラウスの切れめに消えいっている彼女の襟足が目にはいった。彼女が、想像していたよりちょっと早めに身を起こしたとき、彼は、すでに自動人形のように身をこごめかけていた。彼女はびっくりしてジャックをみつめた。そして、微笑をうかべると、自分のそば、長椅子のほうへ引きよせた。そして、少しもためらうことなく、自分の顔を彼の顔に、自分のこめかみを彼のこみかめに、燃えるような自分の頰を彼の頰にぴったりあてた。

「かわいい……Liebling(ドイツ語。かわいい人の意)……」

あまりの快さに、彼は、あやうく気がとおくなりそうだった。そして、目をとじた。彼は、リスベットの、針あとのついた指先が、自由になっている自分の頰を愛撫し、首すじのところにすべりこんで来るのを感じた。ボタンがはずれた。彼は、気持ちのいい身ぶるいを感じた。磁気を帯びたような小さな手が、シャツと皮膚とのあいだをすべって、彼の上半身にぴったりあてられた。そこで、彼も行きあたりばったりに二本の指を差し入れると、ブローチに触れた。女は、彼のすることをたすけようと、自分からブラウスを押しひらいた。彼は、息をつめていた。手が、いままで知らなかった肉にさわった。彼女は、くすぐられでもしたようにハッとからだを動かした。するととつぜん、ジャックのてのひらに、ずっしりした、熱い乳房のすべり込んだのが感じられた。彼はまっかになった。そして、無器用にキスをした。女からは、すぐに、口いっぱいのなまなましいキスをかえしてきた。彼は、すっかりあがってしまい、燃えるようなキスのあとで、他人の唾液の残したひやりとした感じを、いささか気味わるくさえ思っていた。彼女は、ふたたびその顔をジャックの顔におしあてた。そして、そのまま動かなかった。彼は、こめかみのあたりに、彼女のまゆげの動くのを感じていた。

このとき以来、それは毎日のことになってしまった。彼女は、控え室のところですでにブローチを抜き、部屋にはいりながらそれをドアに突きさしていた。ふたりは、頬を寄せあい、手をあたため合いながら長椅子に腰をかけ、そのまま何も言わずにいた。あるときは、彼女は何かドイツの恋歌を口にし、ふたりは目に涙を浮かべていた。そして、長いこと、ちょうしをとりながら抱き合ったからだをゆすりあい、たがいに息をひとつにあわせ、ほかの快楽のことなど忘れ去ってしまっていた。ジャックがシュミゼットの下でちょっとでも指をうごかし、また唇でリスベットの頬に触れるためちょっとでも頭を動かすと、彼女は、わるさをしないでとたのむように、じっと彼の目をみつめた。そして、嘆息をつくように言った。

「ゆっくりね……」

それに、手は、いったんおくべきところに置かれてしまうと、そのままおとなしくなっていた。ふたりは、言わずかたらず、よけいなしぐさをつつしんでいた。ふたりの抱擁は、顔と顔とを根気よくじっとおしあて、呼吸のたびに指先に感じられる胸のあたりのあたたかい鼓動による愛撫だけにとどまっていた。リスベットは、ときどきうっとりしかけながらも、わけなく肉体の誘惑をしりぞけていた。彼女は、ジャックのそばで、ただ純粋さと詩とに酔っていた。ジャックのほうでも、よりはっきりした誘惑をしりぞけなければならない必要も感じないでいた。こうした清らかな愛撫、それはそれ自身だけが目的だった。彼女は、そうした愛撫が、ほかの熱情の前奏曲になるだろうということなど、考えてさえもいなかった。ときどき、女のからだの温みで、肉体的な衝動が引き起こされても、彼はほとんどそのことに気がつかなかった。もしそれをリスベットに気づかれるだろうなどと思ったら、彼はおそらく嫌悪と羞恥で死ぬ思いさえしたにちがいなかった。彼女のそばにいるとき、彼はなんら不純な欲情におそわれなかった。彼にあって、《精神》と《肉体》は、きわめて完全に分離していた。《精神》は、愛する彼女のものだった。だが、肉体は、まったく別の世界、そこにリスベットのはいっていない、暗いほかの世界の中でさびしく暮らしていた。幾晩となく、眠られぬままにふとんを飛びだし、鏡のまえに立ってシャツをぬぎすて、くるおしいほどの貪婪さでわれとわが腕にキスし、からだにさわってみるようなことがあっても、それは、いつも彼ひとりでのことであり、彼女から遠くはなれてのことだった。いつも思い浮かべる一連の空想のなかには、リスベットの姿はけっしてはいってきていなかった。

とかくするうちに、リスベットには出発の日がせまって来た。彼女は、つぎの日曜の夜行でパリを出発することになっていた。そして彼女には、それをジャックに言うだけの勇気がなかった。その日曜日、晩飯の時刻に、アントワーヌは、弟が階上へ行っていることを知って、自分の部屋へ帰って行った。リスベットが待っていた。彼女は泣きながら、彼の肩へ飛びついた。

「どうだった？」と、彼は妙な笑いを浮かべながらたずねた。

彼女は、ちがうといった身ぶりをした。

「で、もうじき立つのか？」

「ええ」

彼はじれったそうな身ぶりをした。

「あの人がだめなのよ！」と、彼女は言った。「あの人、まったく気がないんですもの」

「だってきみ、気を持たせてみせるって言ったじゃないか？」

彼女は、じっとアントワーヌを見つめた。彼女は、いささかアントワーヌを軽蔑していた。この人には、自分にとって、ジャックが《まったく別な人間》だということがわかっていないのだ。とはいえ、アントワーヌは美丈夫だった。彼女は、その自信たっぷりなようすが好きだった。そして、彼が世上一般の男とおなじであっても、それもいたしかたのないことだと思っていた。

彼女は、窓かけにブローチをさし、はやくも出発のことを考えながら、うわの空のようすで着物をぬいでいた。アントワーヌがだきしめたとき、彼女はけたたましい笑い声を立てた。そして、その声は、のどの中に消えて行った。

「Liebling……今夜でお別れよ。ゆっくりね……」

アントワーヌは、その晩ずっと家をあけた。十一時ごろ、ジャックは、兄が帰って来て、音も立てずに自分の部屋へはいって行く音を耳にした。ジャックは、ベッドにつこうとしていたところだった。だから、声をかけることもしなかった。

ベッドにもぐりこんだとたん、なにかかたいものがひざにあたった。何かの包み。ふしぎなこともあればあるもの！　それは、すずの紙に包んだういきょう入りのねじパン、上にカルメラのねとねとしたやつがついていた。そして、ジャックの頭文字のある絹ハンケチの中には、モーヴ色の一通の手紙がたたみこまれていた。

かわいいかたへ！

彼女は、いままで一度も手紙をくれたことがなかった。それはまるで、今夜、彼女が、自分のまくらもとをのぞきこみに来てでもくれたようだった。彼は、封を切りながら、うれしさのあまり笑いだした。

ジャックさま

この手紙を見てくださるころ、あたしずっと遠くへ行っていますわ……

行がかすんだ。ひたいに汗がびっしょりにじんだ。

……ずっと遠くへ行っていますわ。なぜって、あたし今夜、東停車場からストラスブール行き十時十二分の汽車に乗るんですから。

「兄さん！」

絹をさくようなさけび声をきいたアントワーヌは、弟がけがでもしたかと思ってかけつけた。ジャックは、ベッドの上にすわって、腕をひろげ、口をなかばあけ、目は何ごとかを訴えているようだった。まるでいまにも死にかけていて、アントワーヌ以外救ってくれるものがないとでもいうようだった。ふとんの上には、手紙が散らばっていた。アントワーヌは、べつに驚いたようすもなく、それにざっと目を通した。彼は、いましがた、リスベットを停車場へ送ってきたところだった。彼は弟の上にうつむきこんだ。だが、弟はそれをおしとどめた。

「だまって、だまって……兄さんにはわからないんだ。兄さんにはとてもわからないんだ……」

それはリスベットの言っていたのとおなじ言葉だった。彼の顔には、強情な表情がしめされ、目をじっと重々しく見すえているところ、それは、かつての日のジャックそのままだった。たちまち、胸はもりあがり、唇はふるえだした。そして、誰か身を寄せる人をもとめるかのように、くるりと向きかえり、まくらの上に身を投げながら、すすり泣きをはじめていた。彼は、片方の腕を、うしろのほうに投げだしていた。アントワーヌは、しっかり握りしめているその手をとってやった。すると、手はたちまち、アントワーヌの手をムズとつかんだ。アントワーヌは、やさしくそれを握り返してやった。彼はいま、なんと言っていいかわからず、嗚咽にゆりあげられている弟の丸い背中をながめていた。彼は、またしても、灰の中にうずまりながら、いつでも燃えあがるばかりになっている炎を見せつけられたというわけだった。そして、教育についての彼の自負心の、いかにむなしいものであるかを思わせられていた。

三十分ばかりの時がたった。握りしめられていたジャックの手は、ゆるんできた。いまやすすり泣きもやみ、はあはあえいでいるだけだった。しだいしだいに、呼吸は正常に復していった。そして、彼はうとうと眠りかけていた。アントワーヌは、まだ出て行く決心がつかず、そのままじっと動かなかった。彼は、不安をこめて、弟の将来を思っていた。彼は、さらに三十分待った。それから、つまさき立って、ドアを細めにあけたまま、自分の部屋へもどって行った。

翌日、アントワーヌが出て行くときも、ジャックはまだ眠りつづけていた。少なくも眠ったようなふりをしていた。

ふたりは、階上での、家族たちの食卓で顔を合わせた。ジャックは、つかれきった顔をしていて、唇のすみに軽蔑するようなしわをたたみ、まるで子供が、自分をわかってもらえなかったときに見せるような、傲然としたようすを見せていた。食事のあいだじゅう、ジャックは、アントリーヌと目の合うことを避けていた。彼は、同情されたくないと思っていたのだった。アントワーヌにもそれがわかった。それに、彼としても、リスベットのことを話しだそうなどとは思っていなかった。

ふたりの生活は、何ごともなかったように、ふたたびその流れをつづけていった。

十

ある晩、食事のまえに、アントワーヌは、自分にあてた郵便物の中に、自分あての封筒の中に、弟名まえの封をした手紙のはいっているのを見ておどろいた。ちょうどそこにジャックもいたので、彼は、ためらっているように思われてはいやだと思ってこう言った。

「ほら、きみのだぜ」

ジャックは、いきおいこんでそばへ寄った。そして、顔をまっかにした。アントワーヌは、書物のカタログをひるがえしながら、その封筒も見もせずに弟に渡してやった。目をあげたとき、それはちょうどジャックが、手紙をポケットにおしこんでいるところだった。ふたりの目と目が合った。ジャックの目には敵意が見えた。

「なぜそんなに見つめてる？」と、弟が言った。「ぼくには、手紙を受けとる権利がない？」

アントワーヌは、何も言わずに弟をながめた。そして、くるりと向きなおると部屋を出て行った。

食事のあいだ、彼はジャックとは話をせずに、チボー氏とだけ話していた。兄弟は、いつものように、つれだって階下へおりて行った。だが、たがいにひとこともかわさなかった。アントワーヌは自分の部屋へはいって行った。だが、机の前に腰をおろすかおろさないうちに、ドアをたたかずにジャックがはいってきた。そして、いどみかかるような態度で歩みよりながら、開封された手紙を机の上にほうり出した。

「なにしろ、手紙の監督までやられるんだから！」

アントワーヌは、それを読もうともせずにたたんで、弟のほうへさし出した。だが、相手が受けとろうとしないのを見てアントワーヌが手をひらくと、手紙はそのまま下に落ちた。ジャックは、それを拾った。そして、ポケットの奥に突っこんだ。

「いやな顔なんかして見せなくてもいいや」と、弟はせせら笑った。

アントワーヌは、肩をすくめてみせた。

「それに、もうそんなことはたくさんだ！」と、ジャックは、とつぜん声をはりあげた。「ぼくは……もう子供じゃない。ぼくは……ぼくにはちゃんと権利があるんだ……」彼は、アントワーヌがじっと自分を見まもっている、そのおだやかな目つきにいらいらさせられていたのだった。「たくさんだ！」と、ジャックがさけんだ。

「何がたくさんなんだ！」

「何から何まで」

ジャックの顔からは、あらゆる表情がうせていた。目は血走ってじっと一カ所を見つめ、耳をぴんと立て、口を半びらきにしているところ、さも放心しているかのようだった。彼はまっかになっていた。「それに、この手紙はまちがってここへ届いたんだ！　ぼくは、局留めにするように言っといたんだ！　局だったら、もらおうと思う手紙を、誰にも言いわけなんかしないで受けとれるんだから！」

アントワーヌは、何も返事せずに、じっと弟をながめていた。こうして黙っていることは、彼にとって有利だった。そして、当惑の気持ちをかくすことができた。ジャックがこんなちょうしで口をきいたこと、それは事実これがはじめてだった。

「まず第一に、ぼくはフォンタナンに会うつもりだ。わかる？　誰がなんと言っても会う！」

それでよめた。『灰色のノート』の筆跡なのだ！　ジャックは、約束を破って、フォンタナンと文通していたのだった。ところで、彼女、あのフォンタナン夫人は、それを知っているのだろうか？　こうしたないしょの文通を、はたして許しているのだろうか？

アントワーヌは、いまはじめて、自分が親代わりという大役を背負わされていたことに気がついた。

現在ジャックが自分の前で見せているこうした態度、それをこの自分があわやチボー氏の前でしめそうとしたのも、つい先ごろのことだった。いまや立場は逆になっていた。

「してみると、ダニエル君に手紙を出したのかね？」と、アントワーヌは、まゆにしわをよせながらたずねた。

ジャックは、はっきり肯定するようなようすでそれに答えた。

「ぼくには何も言わずにか？」

「兄さんの言うことはそれだけ？」と、相手が言った。

アントワーヌは、あわや立ちあがって、ひとつぴしゃりといきかけた。彼は、こぶしをにぎりしめた。議論の経過は、彼が何よりたいせつにしていたことを、あわやだいなしにしそうな形勢だった。

「出て行ってもらおう」と、彼は、がっかりしたようなふりをして見せながら言った。「今夜、きみには、自分で何を言っているのかわからないんだ」

「ぼくは言ってる……ぼくは、もうたくさんだって言ってるんだ！」と、ジャックは、足でゆかをたたきながらさけんだ。「ぼくはもう子供じゃない。ぼくは好きな人とつきあいたいんだ。もう、こんな生活はまっぴらだ。ぼくは、フォンタナンに会いたいんだ。なぜかというと、あれはぼくのたったひとりの友だちだから。ぼくはそのために手紙を出した。自分のしたことがどういうことか、ちゃんとぼくにはわかっている。ぼくは、落ち合う場所を知らせてやった。兄さんは、それを……言いたい人に言うがいいや、ぼくはもうたくさん。たくさんすぎてまっぴらだ！」彼は、じだんだを踏んでいた。そしていま、彼には、憎悪と反抗だけしか見られなかった。

弟が言わなかったこと、そして、アントワーヌに察することのできなかったことは、それは、リスベットが出発して以来、ジャックが心に空虚を感じ、同時に何か重苦しいものを感じ、その結果、ダニエルと青春の秘密を語りたいという欲望、というより、彼に、この重荷をわかってもらいたいという欲望を禁じ得ないでいたということだった。ジャックは、その孤独な興奮の中で、完全な友愛の生活といったようなものを想像し、ダニエルには、リスベットの半身を愛させ、リスベットにも、その愛のなかばをダニエルにわけるようにさせたいと思っていたのだった。

「あっちへ行けと言ってるんだ」と、アントワーヌは、つとめて平静をよそおい、自分の優越さを味わいながら言った。「それについては、きみが理性を取りもどしたとき、あらためて話すことにしよう」

「卑怯者！」兄の冷静さに憤激したジャックがさけんだ。「犬！」そして、ばたりとドアをしめて出て行った。

アントワーヌは、立ちあがって鍵をかけ、それから長椅子のところへ行って、そこにどっかり腰をおろした。その顔は、憤激にあおざめていた。

《犬だと？　ばかめ。犬と言ったな。おぼえていろ。どんなことを言われても黙っていると思ったら、それは大まちがいだぞ！　これで今夜はだいなしだ。もう勉強もできやしない。いまにみろ。ああ、昔の静けさはどこへいった？　なんというばかをしたことか！　しかも相手は小僧っ子だ。犬だと！　ああ、こっちがためを思ってやればやるだけ……だが、ばかはむしろこっちのほうだ。おれは、あいつのためだけに、おれの時間、おれの勉強の一部をだいなしにした。だが、それもこれでおしまいだ。おれにはおれの生活がある。おれの試験がある。あんな小憎っ子のばかやろうに……》彼は、じっとしていられなかった。そして部屋の中を大またに歩きはじめた。彼はふと、自分がフォンタナン夫人の前にいるように思った。そして、顔の上に、きっぱりした、目のさめたような表情を浮かべた。《奥さん、ぼくはできるだけのことをしました。ぼくは、柔和と愛とでこころみました。できるかぎりの自由をあたえました。それがどうです、こうしたありさまです。奥さん、世の中には、なんとも手のつけようもない人間がいます。社会は、そうしたものから身を守るため、ただひとつの方法だけしか持ちません、すなわち、そうしたものが、ほかのものをそこなわないようにすることです。少年園が、社会保全団体と呼ばれているのも、たしかに一理あることです……》

ねずみのかじるような物音を聞きつけて、彼はくるりとふり返った。しめてあるドアの下から、一通の手紙が入れられたところだった。

犬だなんて言って、ゆるしてください。ぼくはもうおこってなんかいないんです。またお部屋にこさせてください。

アントワーヌは、思わず微笑をもらした。彼は、急にかわいくてたまらなくなってきた。そして何も考えず、ドアのところへ行ってあけてやった。ジャックは、腕をぶらぶらさせながら待っていた。まだ興奮の去らないジャックは、頭をたれ、笑いださないように唇をつまんでいた。アントワーヌは、おこったような、へだてのあるような態度を見せてやった。そして、席にもどって腰をおろした。

「ぼくは仕事があるんだ」と、ひややかなちょうしで彼は言った。「今夜はずいぶんむだな時間をつかわせられた。なんの用だね?」

ジャックは、あいかわらずおどけたような目をあげた。そしてま正面から兄をみつめた。そして、

「ぼく、ダニエルに会いたいんです」と、はっきり言った。

短い沈黙。

「きみも知ってるとおり、おやじはそれに反対している」と、アントワーヌが口を開いた。「その理由がなぜであるか、きみにはすでに説明してある。おぼえているかね? その日、きみとぼくとのあいだには、きみもそのことを承知して、今後フォンタナン家とはつきあわないという約束ができていた。ぼくは、きみの言葉を信用した。その結果がごらんのとおりだ。きみはぼくをあざむいた。最初の機会に、きみは約束を破ってのけた。万事休すだ。これから先、ぼくにはきみが信用できない」

ジャックはしゃくり泣いていた。

「兄さん、そんなことを言わないで。それはあんまりだ。兄さんにはわからないんだ。ぼくもたしかに悪かった。兄さんにないしょで手紙なんか出して悪かった。でも、それには、話さなければなら

ないようなわけがあったんだ。でも、ぼくにはそれが言えなかった」彼はつぶやくように言った。「あのリスベット……」

「そんなことは別の話だ」と、たちまちアントワーヌがさえぎった。弟よりも、むしろ自分の当惑しそうな話が語りだされることをおそれたからだった。そして、彼はジャックの話頭を転じさせようとした。「どうだ、あらためて、も一度やってみようじゃないか。しっかり約束してもらおうじゃないか……」

「兄さん、いやだ。ぼくには、ダニエルに会わないなんて約束できない。むしろ兄さんが、会うことを許してくれてもいいはずなんだ。ねえ兄さん、おこらないで。ぼくは神かけて誓う、ぼくはもう、何ひとつ兄さんにかくし立てをしない。だが、ぼくはダニエルに会いたいんだ。しかもぼくは、兄さんに知ってもらったうえでなければ会いたくない。ダニエルにしてもおんなじなんだ。ぼくは彼に、局留めにして返事をくれるように言ってやった。ところが、彼はそれをきかなかった。彼はこんな返事をよこした。《なぜ局留めにするんだ？　ぼくたち、何もかくしたりする必要はないじゃないか。兄さんは、いつもぼくたちにとっての味方だった。だから、ぼくはこの手紙を兄さんあてに出す。そして、兄さんからきみに渡してもらう》そして彼は最後に、ぼくがパンテオンの裏で会おうと言ってやったのをことわってよこした。《ぼくはそのことをママに話した。一番簡単なのは、きみができるだけ早く、日曜にぼくのところへやって来てくれることだ。ママは、きみと、きみの兄さんとを好いている。ママは、ふたりにきてもらうようにと言っている》ね、兄さん、彼はあくまで誠実だ。パパはそれに気がつかない。パパは、何も知らずに、彼を悪いやつだと思っている。だが、それもパパのことなら腹がたたない。だが兄さん、兄さんの場合はちがう。兄さんはダニエルを知っている。兄さんには彼がわかっている。彼の母にも会っている。兄さんは、けっしてパパのようであってはならない。兄さんは、ぼくにダニエルのいることを喜んでくれなければいけないんだ。ずいぶん長いこと、ぼくはひとりぼっちで過ごしてきた！　あ、許して。兄さんにあてつけて言ってるんじゃない。兄さんは別だ。そして、ダニエルも別だ。兄さんには、おなじ年ごろの友だちがたくさんいるだろう？兄さんには、親友を持つということが、どういうことかわかるだろう？」

《何を言ってるんだ……》と、アントワーヌは思った。それは、ジャックが《親友》という言葉を口にしたとき、その顔にしめされた、うれしそうな、たまらなそうな表情を見たからだった。彼はとつぜん、弟のそばへかけより、弟をだいてやりたくなった。だが、ジャックの目の中には、何かしら割りきれないもの、何かしら殺気だったものが感じられた。それが、アントワーヌの自負心をきずつけた。そこで彼は、その強情さにぶつかって、それを粉砕してやりたくなった。だが、彼は、いささかジャックの気勢におされていた。彼は、なんとも返事をしなかった。そして、足を踏みのばしながら考えた。《じつのところ》と、彼は思った。《寛大な気持ちを持っている自分として、おやじの禁制ののばかげていることは認めなければならない。フォンタナンという子は、ジャックにたいして、いい影響しかあたえ得ない。環境としてもじつにりっぱだ。それに、自分のしていることのためにも、助けてもらう点が多いだろう。そうだ〈あのひと〉もたしかに助けてくれるにちがいない。あのひとは、ぼくよりはっきり物がわかるにちがいない。あのひとは、すぐにジャックに感化を及ぼしてくれるだろう。あのひとは、まったくとびきりの人物だ。だが、もしこのことがおやじに知れたら……かまうものか、おれはもう子供じゃない。ジャックについての責任者は誰だ？　このおれだ。しからばおれには、最後の決をきめる権利がある。ところでおれは、はっきり、おやじの禁制が無意味であり、まちがっていると思っている。おれは、それを踏みこえていく。ジャックは、もっとおれを信頼するようになるだろう。きっとこう思うにちがいない、〈兄きはだいぶパパとはちがうぞ〉それに、あの子の母親も……》彼はも一度、自分が、微笑を浮かべたフォンタナン夫人の前に立っているところを想像した。《奥さん、ぼくが弟をつれてきたいと思ったんです》

彼は立ちあがった。そして、幾足か歩いて、ジャックの前に来て立った。ジャックは、心を緊張させ、もしアントワーヌが反対したらそれを打ち破ろう、打ち負かしてやろうと決心しながら、身じろぎもせずにいた。

「きみが、しいてということだから、ぼくもすっかり言ってしまうが、じつは、ぼくは、おやじの命令いかんにかかわらず、きみをフォンタナン家へ行かせてやりたいと思っていた。ぼくは、自分でつれてってやろうかとさえ思っていた。ただぼくは、きみが落ちついてくれるのを待っていた。ぼくは、新学期まで待とうと思っていた。だが、きみがダニエルに手紙を出したことから、事は早められることになった。よし、ぼくがすべてを引き受けよう。おやじにも、司祭さんにもないしょでやろう。よかったら、次の日曜に行こうじゃないか」

「ただ」と、彼はちょっとまをおいてから、親しみをこめた非難のちょうしで言葉をつづけた。「きみは、とても大きな思いちがいをしていた！　このぼくを、もっと信用していなかったのがわるかったんだ！　ぼくは、きみにたいして幾度も幾度もくり返して言った。ふたりのあいだは、完全にざっくばらんにしようじゃないか、おたがい信用しあおうじゃないか、と。それでなければふたりの望みは、すっかりご破算になってしまうだろう、と」

「日曜？」と、どもるようにジャックが言った。わけなく言い分がとおった彼は、あてがはずれたかたちだった。そして、そこに何かからくりがあり、それと知らずにだまされているのではないかと考えた。だが、彼は、疑ったりすることをはずかしく思った。アントワーヌは、彼にとっての最もよき友であるにちがいなかった。ただ、これほど年のちがっていることがざんねんだ！　え、今度の日曜？　そんなに早く？　彼はいま、あれほどダニエルに会いたがっていたことが、はたしてほんとだったろうかと考えていた。

十一

その日曜日、ダニエルが母親のそばで絵をかいていたとき、急に小犬がほえだした。誰かがベルを鳴らしたのだ。フォンタナン夫人は書物を下においた。

「ぼく、見てくる」ダニエルはこう言って、母に先んじて戸口へ行った。節約というたてまえから、小間使いにも暇をやり、つい先月からは、台所女中まで帰してしまっていた。そして、ニコルとジェンニーが家事のてつだいをやっていた。

耳をすましていたフォンタナン夫人は、グレゴリー牧師の声だと知って微笑をもらした。そして、出迎えようと幾歩か前へ進んだ。牧師は、ダニエルの肩をつかまえ、しゃがれた笑い声をたてながら、じろじろ彼の顔をみつめていた。

「なんだ? こんないい天気なのに散歩に出かけないのか? フランスには、ボートも、クリケットも、スポーツもないのかね?」ひらいているまぶたいっぱい、白目も見えないほど虹彩の満たしている、黒い、小さな目の光は、近くで見ているに堪えられないほどだった。ダニエルは、まの悪そうな微笑をもらしながら、顔をそむけた。「しからないで下さい」と、フォンタナン夫人が言った。「お友だちがたずねて見えるのを待っているんです。ご存じですわね、あのチボー家のかた?」

牧師は、顔をしかめながら、思い出の中をさぐっていた。彼はたちまち、恐ろしいほどのいきおいで、火花が出るかと思われるほど、かさかさな両手を激しくこすった。そして、口のあたりに、ふしぎな、声に出さない笑いを浮かべた。

「Oh yes!」と、彼は言った。「ひげのあるドクトルでしたな。そう、愉快な青年でした。お嬢さんが助かったのを見て、どんなにおどろいていたかおぼえておいでですか? 彼は、蘇生を検温器ではかろうとしていました！　Poor fellow！　ところで、われらの darling はどこにいます？　こんなにお日さまが照ってるのに、あいかわらず部屋に入れたままですか？」

「いいえ、ご安心ください。ジェンニーは、いとこといっしょに外へ行っています。お昼食にも、ちらりと顔をみせたきり、ふたりで、写真機をおもちゃにしています……ジェンニーが、お誕生日にいただいた……」

ダニエルは、牧師に椅子をすすめながら、顔をあげて母を見た。母の声は、そうした説明を口にしながら、なんだか落ちつきを失っていた。

「ところでニコルのほうは？」と、グレゴリー牧師は、腰をおろしながらたずねた。「何も変わったことはないですか？」

フォンタナン夫人は、身ぶりで、ないと答えた。ダニエルは、ニコルの名を聞いて、牧師のほうをちらりと見た。フォンタナン夫人は、息子の前で、その話を取りあげたくないと思っていた。

「ねえboy」と、牧師はとつぜんダニエルのほうを向きなおった。「きみのおひげの先生は、いったい何時ごろに見えるんだね？」

「知らないんです。たぶん三時ごろでしょう」

グレゴリーは、立ちあがって、僧服のポケットから、コーヒーの下皿ほどもある銀時計をとり出した。

「Very well！」と、彼はさけんだ。「さあ、のらくらぼうずめ、まだそれまでには一時間ある！　上着をぬいで、これからすぐに、リュクサンブールの公園のまわりを駆けてくるんだ。徒歩競走の記録を作ってみせるんだぞ！ Go on!」

ダニエルは、ちらりと母と目をかわしてから立ちあがった。

「いいですよ。行って来ますよ」と、ダニエルは皮肉らしく言った。

「したたか息子め！」グレゴリーは、こぶしをふり上げて、おどすようなかっこうをしながら言った。だが、いよいよフォンタナン夫人とさし向かいになったとき、彼のつるつるした顔の上には、いかにも善良な表情が浮かんだ。そして、その目には、いかにもやさしい色が見えていた。

「さあ」と、彼は言った。「これでいよいよ、あなたのお心に向かってだけお話しできる時がきました、dear」彼はさも、祈りをするとでもいったように心を落ちつけた。やがて、神経質なようすで、指で黒い髪の毛をかき上げると、椅子を取りに立ってゆき、その上に馬乗りになった。「会いましたよ」と、彼は、さっと顔色を変えるフォンタナン夫人を見ながら言った。「あの人から頼まれてきたのです。あの人は後悔しています。あの人はなんときのどくな人でしょう！」彼は、じっと夫人を見まもっていた。彼は、楽しそうな色を浮かべた眼差しで彼女を包み、さも自分のもたらしてきた苦しいことから、彼女を、なだめてやろうとでもするようだった。

「あの人、パリにおりますの？」彼女は、自分が何を言っているかもわからずに言った。それというのは、彼女は、ジェロームが一昨日、すなわちジェンニーの誕生日に、自分でわざわざ家番室まで、娘のために写真機をおきに来たのを知っていたはずだったから。たといどこにいようとも、彼はけっして、家族の誕生日を祝うことを忘れなかった。「お会いになりまして?」と、彼女はうわの空で言った。そう言いながらも、顔の表情には、少しの落ちつきも見られなかった。(この何カ月、彼女は絶えず彼のことを思っていた。だが、いつもあまりにわくわく思っていたので、いま、はっきり彼のことが話しだされると、なにかしらぼんやりした気持ちになってしまった。)

「じつにきのどくです」と、牧師は根気よくくり返した。「彼は悔恨でいっぱいです。女の人は、あいかわらず歌うたいをやっていますが、彼はすっかりきらいになって、二度と顔が見たくないと言っています。それはほんとのことだと思います。彼は、妻なしでは、子供たちなしでは、とても生きていけないと言っています。彼は、あなたのゆるしをねがっています。あなたの夫でいるためには、どんなことでも約束します。あなたの心から、どうか離婚の気持ちをはらいのけてほしいとねがっています。わたしは彼の顔を見ました。それはいま、正しき人の顔になっています。あの人は、ほんとにまっすぐな人なのです。善良な人なのです」

彼女は黙っていた。そしてぼんやり前をながめていた。そのふっくらしたあご、いささか肥えてみえるあご、ばってりした感じやすそうな唇、そこにはいかにもおだやかなようすがうかがわれていたので、グレゴリー牧師は、きっとゆるすと言うにちがいないと思った。

「あの人は、今月、あなたとふたりで、和解のために、裁判所へ出かけると言っていました」と、彼はつづけた。「そしてそのあとで、ほんとの離婚手続きにもかかることにしようと言っていました。そこであの人は、あなたに哀願しているのです。なぜかといえば、あの人はすっかり変わってしまったからです。あの人は言っています、自分ははたでみるようなものとはちがう、みんなの思っているよりずっとりっぱな人間だ、と。そして、わたしもおなじように思うのです。いま、あの人は、何か仕事さえあったら働きたがっています。そして、あなたさえその気におなりだったら、ここに来て、あなたがたといっしょに、新しいつぐないの道を生きようとするでしょう」

彼は、夫人が口をひきつらし、その顔の下の部分が、はげしくふるえているのを見た。夫人はとつぜん肩をゆすった。そして、

「いけません」と、言った。

そのちょうしは、いかにも鋭く、その眼差しには、沈痛で、しかも毅然たるものがうかがわれた。夫人の決心、それは、とうていひるがえせないもののように思われた。牧師は、天を仰ぎ、目をとじて、ながいこと黙っていた。

「Look here」と、やがて彼は言った。その声はまったく変わっていて、はるかな、しんとした声のように思われた。「ひとつ、あなたのご存じのないことをお聞かせしましょう。それは、あるひとりの女を愛した男の話です。さ、お聞きなさい。その男は、きわめて年のいかないころ、ひとりの貧しい少女といいなずけになっていました。いかにも気だてのよい、美しい、まったく神のめぐみ子といえるような少女で、彼はその少女を愛していました……」彼の眼差しは重くたれた。「……全心から」と、言葉に力を入れて言った。つづいて彼は、どこまで話したかを思いだそうと努力してでもいるようだった。そして、ふたたび、かなり早口に言葉をつづけた。「ところが結婚のあとで、こんな

ことが起こりました。男には、妻が自分だけを愛しているのでなくふたりにとって友人であり、まるで兄弟のように出入りしているもうひとりの男をも愛しているということがわかりました。そこで哀れな主人は、妻をして忘れさせるため、長い旅につれて出ました。だが、彼には、妻が、今後永久に、友なる男を愛しつづけるであろうこと、そして、自分にたいしては、そうでないであろうことがわかりました。こうして、ふたりのあいだには、地獄がはじまりました。彼には、妻が、からだの中で、不貞の苦しみを味わっていることがわかりました。それは、やがて心の中の苦しみとなり、つづいて霊の中の苦しみとなりました。すなわち、妻はよこしまになり、またそこなわれていきました。さようと、彼は重々しい口調で言った。「このことは、じつにおそろしいことです。彼女は、自分の恋が思うようにいかないためにそこなわれていきました。そして彼もまた、そこなわれていったのでした。それは、ふたりの身のまわりを、虚無がとり巻いていたからです。そこであなたは、その男がどうしたとお思いです？　彼は祈りました。彼はこう考えました、《自分はひとりの女を愛している。自分はその女のために悪を取りのぞいてやらなければならない》そこで、彼は、欣然として、妻と友人とを、聖書を前にして自分の部屋に呼びました。そしてふたりにこう言いました。《ふたりとも、わが手により、主のみまえにおいて、おごそかに結ばれんことを》彼らは、三人とも泣いていました。だが、そのあとで、彼はこう言いました。《心配しないでよろしい。わたしは出て行く。そして、今後ぜったい、帰ってきてきみたちふたりの幸福をみだしたりはしないから》」

グレゴリーは、目のまえに手をかざした。そして、低い声でこう言った。

「Dear! こうしたぜったいの愛と献身との思い出こそ、なんという神のみめぐみでありましょう!」そして、彼は顔をあげた。「そして、その男は、言葉どおりにしました。彼はふたりのため、すべての財産をのこしていきました。それは、彼がきわめて富んでいたからであり、それに反して、女はヨブ(旧約聖書にあるイデュメの族長。貧困、疾病、不幸を、身をもって堪えてのけたといわれている)のように貧しかったからでした。彼は、遠くのほう、海のかなたへ行きました。それから十七年の後の今日でも、彼はずっとひとりで暮らし、そして、金もなく、ちょうどこのわたしとおなじように、クリスチアン・サイエンティスト・ソサエティーの一看護牧師として、その日その日の生活を立てています」

フォンタナン夫人は、感動しながら彼を見まもっていた。

「お待ちなさい」と、彼はいきおいこんで言った。「これから、その結末をお話ししましょう」彼の顔は、縦横にひきつれ、ひじをかけていた椅子のもたれの上では、骸骨のようなその指が、急にはげしくからみあった。「男は、こうしてあらゆる幸福を、自分ののち、ふたりのために残してやり、自分は、あらゆる悪しきものを持っていってやるのだと思っていました。ところが、そこに主のかくされたおぼしめしがあるのです。悪しきものは、そのふたりのところにとどまりました。ふたりは、彼をあざ笑いました。ふたりは、聖霊を裏ぎりました。ふたりは、彼の犠牲を涙を流して受けながら、心の中では、彼をあざ笑っていました。ふたりはあらゆるGentry(社会)で、彼についての嘘を言いふらしました。彼の書いたいろいろな手紙を見せてあるきました。ふたりは、それは彼の見せかけだけの好意であると言いふらしました。それだけではない、彼が、ヨーロッパにいるほかの女といっしょになるため、一文無しで妻をほうり出したのだとさえ言いました。ふたりは、そうしたことまで言ったのでした。そして、彼にたいして、離婚訴訟さえ起こしました」

牧師は、しばらくまぶたを伏せた。そして、しわがれたのどを鳴らしていたが、やがて立ちあがると、椅子をちゃんと元の場所へもどしに行った。彼の顔からは、あらゆる苦しみのあとが消えていた。「さて」と、彼は、じっと身動きもせずにいるフォンタナン夫人のほうへ身をかがめて言った。「愛というものはこうしたものです。そして、ゆるしというものがこれほど必要であると考えているわたしは、もしいま、その不貞な女がわたしのところにやって来て《あなた、わたし、あなたのところへもどって来ました。あなたはもう一度、わたしに踏みつけられるしもべになってくださるのです。そしてわたし、笑いたいときには、またあなたのことを笑います》と言ったとしたら、わたしは彼女にこう言いましょう。《来るがいい。わたしの持っているすべてのものを取るがいい。わたしは、おまえの帰って来てくれたことを主に感謝する。そして、わたしは、おまえの目に、ほんとにりっぱなものとしてうつるように、ありとあらゆる努力をし、おまえ自身にもりっぱなものになってもらおう。なぜかと言えば、この世には、悪というものはないのだから》そうです、Dear, 実際、もしわたしのドリーが、いつかわたしのところに助けを求めにくるとしたら、わたしは彼女にたいして、たしかにこうしてやるでしょう。だが、わたしは、《ドリー、わたしはおまえをゆるしてやる》とは言いますまい。ただ《主がおまえをまもってくださるのだ！》と。そして、そういうわたしの言葉は、けっしてむなしく終わることはありますまい。なぜなら、善こそは、虚無を制しうるたったひとつの力だからです！」彼は口をつぐみ、腕を組み、その角ばったあごを手の中いっぱいに握りながら、説教するような、歌うような声で言葉をつづけた。「奥さん、あなたもまたそうおなりにならなければ。それはあなたが、あのかたを心から愛しておいでになるからです。愛は正義です。主は仰せになりました、《汝らの義、学者・ファリザイ人に勝らずば、天国に入ること能わず》（マタイ伝第五章）」

夫人は首を振った。

「あなたはあの人をご存じないのです」と、彼女はつぶやくように言った。「あの人のまわりでは、とても息がつけません。あの人は、いたるところへ悪をもたらしに来るのです。あの人は、またもやわたしたちの幸福をこわしましょう。子供たちをわるくしてしまうでしょう」

「キリストが、手で癩病人の傷口におさわりになったとき、それに感染したのは決してキリストのみ手ではありませんでした。癩病人のほうがいやされました」

「あなたは、わたしがあの人を愛しているとおっしゃいます。とんでもない。嘘ですわ！　いま、わたしには、あの人がわかりすぎるくらいわかっています。あの人の約束にどれほどの値うちがあるか、わたし、知っています。わたし、いままで、あまりにあの人をゆるしすぎていたのでした」

「ペテロがキリストに向かって、その兄弟を何度までゆるさなければならないかとたずねたとき、そして、《七度まで？》と言ったとき、キリストは、これに答えて《七度まで？　とは言わず、七度を七十倍するまでと言うなり》（マタイ伝第十八章）と仰せられました」

「ジェームズさん、あなた、あの人をご存じないのです！」

「いったい誰が《われはわが兄弟を知れり》ということができましょう？　キリストは仰せられました、《われは何人をもさばかず》と。そしてこのわたし、グレゴリーはこう言いましょう。心に、なんのやましさ、なんの不幸をも感ぜずに罪の生活をつづけているものは、真理の時から遠いところにあるものなのです。ところが、自分の生活が罪の中にあるのを見て涙を流しているものこそは、真理の時に近づいているものです。わたしはあなたに申しあげたい、あの人はくやんでおいでです、あの人は、正しき人の顔つきをしておいででした、と」

「ジェームズさん、あなたは、すっかりをご存じないんです。債権者に追いつめられ、女がベルギーへ逃げださなければならなかったとき、あの人がいったいどうしたかおたずねになってごらんなさい、女は、ほかの男の人と逃げたのです。ところが、あの人は、あらゆるものを打ちすてて、ふたりの跡を追いました。そして、はらはらするようなことを平気でやってのけたのでした。あの人は、二カ月というもの、女の歌っている劇場の切符切りをやっていました！　恥ずかしいことです。女はずっと、そのヴァイオリンひきの男と暮らしていました。あの人はすべてを受け入れ、ふたりのところで食事をし、女の恋人である男と音楽をしに行っていました。正しき人の顔ですって！　あなたには、あの人がおわかりになっていないのです。いま、その人が、パリに帰って来て後悔している、女とも別れた、もう二度と会いたくないと言っている……！　では、なぜ女の借財を払ってやったりしたのでしょう？　女の心を呼びもどそうと思ってにきまっていますわ。実際あの人は、ノエミの債権者たちのひとりひとりに弁済してやっています。そうなんです、そのためにこそパリに帰っているのです！　ところで、そうしたお金は？　わたしのもの、それにまた子供たちのもの。ねえ、この三週間のあいだにあの人のしたことをご存じですか？　あの人は、わたしたちのメーゾン・ラフィットの不動産を抵当に、二万五千フランという金を、しびれを切らしかけていたノエミの債権者のひとりに、くれてやってしまいました！」

夫人はうつむいた。これでもまだ、言うべきことの全部ではなかった。彼女は、公証人のところへよび出されたときのことを思いだしていた。彼女は、なんの不審をも持たずに、そこへ出かけて行ったのだった。すると、そこの戸口に、ジェロームが待っていた。抵当のため、彼女の委任状が必要なのだ。家は、相続によって、彼女のものになっていた。彼は夫人に嘆願した。いま自分には一文の金もない、自殺をするところまで追いつめられている、こう言いながら、往来で、ポケットの底をはたくまねをしてみせた。彼女は、ほとんどなにひとつ文句を言わず、相手の言うなりにしてやった。それにまた、往来で小づきまわされたくないままに、公証人のところへもついて行った。一方彼女自身にも、さしせまって金の必要があったから。そして、彼が、総額の中から、千フラン札何枚かをさし引いてもいいと約束していたから。彼女には、離婚後の清算がすむまで、半年分の生活費として、どうしてもそれだけの金が必要だった。

「わたし、くり返して申しますわ。ジェームズさん、あなた、あの人をご存じないんですわ。自分はまったく変わってしまっている、わたしたちといっしょに暮らしたい、って誓いましたって？　では、この話をお聞きになったらなんとおっしゃいます？　おととい、あの人がジェンニーの誕生日に階下まで贈り物をおきに来たとき、あの人は家から百メートルばかり離れたところに車を待たせておいたんですの……そして、その車には、あの人ひとりが乗ってきたのではなかったのでした！」夫人は身をふるわせた。彼女はとつぜん、あのテュイルリー河岸のベンチの上、ジェロームと、そして黒い服を着て泣いていた女工らしい小娘のことを思いだした。彼女は立ちあがった。「これがあの人の正体ですわ」と、さけんだ。「あの人は、自分の娘の誕生祝いに、どこの馬の骨だかわからない女の人といっしょにつれだってくるほど、道徳的感覚をすっかりなくしているのです！　それなのに、あなたは、わたしがあの人を愛しているとおっしゃる！　いいえ、そんなことがあるものですか！」彼女は、しゃんと身を起こした。そうした彼女は、たしかに彼を憎んでいるらしかった。

グレゴリーは、きびしいおももちで彼女をながめた。

「あなたはまちがっておられる」と、彼は言った。「たとい心の中だけのことにしても、はたしてわれらは、悪にむくゆるに悪をもってしてしていいでしょうか？　精神がすべてです。物質は、精神の奴隷にすぎません。キリストは仰せられました……」このとき、ピュスがほえ立てたので、彼の言葉はさえぎられた。「やれやれ、例のおひげのドクトルのご入来だ！」彼は、渋面をつくりながら不服らしくつぶやいた。そして、大急ぎで椅子を取りに行って腰をおろした。

案のじょう、ドアがあいて、そこにあらわれたのは、ジャックとダニエルをうしろにしたがえたアントワーヌだった。

アントワーヌは、この訪問の責任を意識して、いかにも思い決したような足どりではいってきた。

あいていた窓からさし込む日の光は、その顔いっぱいを照らしていた。彼の髪とひげとは、ひとつの暗いかたまりのように見えていた。日のかがやきは、正方形の白いひたいの上にあつまって、そこに天才らしい輝きをあたえていた。そのため、元来小がらな彼ではあったが、瞬間、大きくなったような感じだった。フォンタナン夫人は、彼の歩みよってくるのをながめていた。そして、彼女の心に目ざめた好感は、たちまち大きくふくれかえった。彼は夫人の前に腰をかがめ、夫人に手をとられながら、ふとグレゴリー牧師のいるのに気がついた。そして、彼のいるのを不愉快に思った。牧師は、自分のいる場所から、あらたまったような会釈をおくった。

ジャックは、そばから、この奇妙な人物を不思議そうにながめていた。グレゴリーは、椅子の上に馬乗りになり、組み合わせた腕の上にあごをのせ、鼻は赤く、なんともえたいのしれない微笑に口をゆがめて、上きげんなようすで少年たちをながめていた。そのとき、フォンタナン夫人は、ジャックのそばへよっていった。そういう夫人の目には、いかにもあたたかな表情がしめされていたので、ジャックは、かつて泣きながら彼女の腕にだかれたときのことを思いだした。彼女自身も、そのときのことを思っていた。それは、つぎのような言葉にもうかがわれた。「まあ、ずいぶん大きくおなりになって、わたし、なんだか……」そう言って、彼にキスしてくれながら、なにやらちょっとなまめかしいようすで笑いだした。「ほんとに、わたし、お母さんといったようですわ。あなたは、ちょっとダニエルと兄弟みたい……」だが、そのとき、彼女には、グレゴリーが立ちあがって、帰りじたくをしているのが目にはいった。「ジェームズさん、お帰りじゃないんでしょう？」

「ごめんください」と、彼は言った。「おいとましなければなりません」彼は、ふたりの兄弟の手を力強く握り、つづいて夫人のところへやって来た。

「もうひとこと」夫人はジェームズを部屋の外まで送りだしながら言った。「ご腹蔵のないところをお聞かせください。わたしの申しあげたことをお聞きになって、それでもまだジェロームに、わたしたちのところへ帰ってくるだけの資格があるとお思いですか？」彼女は、じっと、問いかけるような眼差しをそそいだ。「ジェームズさん、よくお考えになってお答えください。もしあなたが《ゆるせ》とおっしゃるのでしたら、わたし、ゆるしてやりますわ」

彼は黙っていた。その眼差し、その顔のうえには、真理をつかんでいる確信のあるものだけに見られる、あまねき慈悲の表情がしめされていた。彼は、フォンタナン夫人の目の中に、ちらりと希望の影らしいものをみとめたように思った。こうしたゆるし、キリストが彼女に求めているのは、こうしたゆるしではないのだった。彼は、くるりと向こうをむいた。そして、とがめるようにあざ笑った。

彼女は、牧師の腕を取った。そして、いかにも親しみをこめて送るといったようなふぜいを見せた。

「ジェームズさん、ありがとうございました。ですが、どうかだめだとお伝えください」

彼は聞いていなかった。そして、彼女のために祈っていた。

「主が、どうかあなたのお心をしろしめたもうように」彼は、夫人のほうを見ることなく、出て行きながらこうつぶやいた。

アントワーヌが、あたりを見まわしながら、最初のときの訪問を思いだしていたサロンへもどって来たとき、夫人は、つとめて心の動揺を静めなければならなかった。

「ご親切に、よく、弟御さんとごいっしょにいらしってくださいましたわね」彼女は、そのあいさつの言葉をいささか誇張しながら言った。「おかけあそばせ」夫人は彼に、すぐそばにあった椅子をしめした。

「きょうはひとつ、子供たちに、わたしたちのお相手をかんべんしてやりましょう……」

まさにダニエルは、腕をジャックの腕の下に通して、自分の部屋のほうへ引っぱって行こうとしているところだった。ふたりはいま、まったくおなじ身たけになっていた。ダニエルは、ジャックがこんなに変わっていようとは思っていなかった。それだけに、友情はさらに固められ、打ちあけ話をしたい気持ちがさらにはげしくなっていた。ふたりきりになるやいなや、彼の顔は生きいきしてきて、そこに何やら不思議な表情がしめされていた。

「まず第一に言っときたいことがあるんだ。きみもいまに会うことになるだろうが、それはぼくたちといっしょに暮らしているいとこのことなんだ。彼女は、とても……すてきだぜ……」そう言った彼は、ジャックの態度に、何か軽い当惑のかげとでもいったようなものを見つけたとでもいうのだろうか？　それともおくればせながら、礼儀といったようなものを考えて、はっと思いでもしたのだろうか？「それより、きみの話というのを聞こうや」と、彼は愛想のいい微笑を浮かべながら言った。彼は、友だちづきあいのあいだでさえ、いささかあらたまった礼儀正しさを持っていた。「あれからもう一年になるな！」そして、ジャックが黙っているのを見ると「ううん、まだなんでもないんだ」と、うつむきながら言葉をつづけた。「ただし、見込みは大いにあるんだがね」

ジャックは、自分がじっと見つめていられることや、相手の声の響きなどから、何か窮屈な気持ちになっていた。やがて彼は、ダニエルがぜんぜん昔とはちがっていることに気がついた。だが、それがどういう点についてであるか、おそらく言えなかったにちがいなかった。顔だちは、まったく昔のままだった。楕円形の顔は、まえより長めになっているかもしれなかった。だが、口のあたりは、まえとおなじような、複雑な、湾曲した線が見られ、それは、ひげでふちどられ、さらにくっきりしめされていた。また、顔の半面だけでする微笑にしてもおなじだった。それはとつぜん、顔だちの線をすっかりくずし、左側の上歯をすっかりあらわしてみせていた。ただし、目だけは、まえほど純粋に輝いてはいないように思われた。まゆも、まえよりはぐっとこめかみのほうへ引きしめられ、それが眼差しに、いかにもなめらかなやさしさをあたえていた。さらに、その声の中なり、挙止動静の中なりに、昔の彼ならとてもしないような、一種の気どりといったようなものをしめしてはいないだろうか？

ジャックは、なんとも返事をしないで、ダニエルを見つめていた。そして、おそらくは彼をいらいらさせるとともに、彼の心をさそわずにはいないこうした無作法とさえ思われるダニエルの気楽な態度のためか、彼には、かつて中学時代ダニエルにたいしてもっていたようなはげしい情熱が立ちもどり、たちまちそのほうへひきつけられていくのが感じられた。

「ねえ、この一年ていうもの、どうだった？　話さないか？」とダニエルが言った。彼は、じっとしていなかった。そして、相手の注意をあつめようとして椅子にかけた。

その態度には、まったくいつわりのない愛情がしめされていた。だが、ジャックは、そこに何かわざとらしいものを見てとって、固くなってしまった。それでいながら、彼は、少年園にいたころのことを話しはじめた。彼ははっきりそれと意識せずに、またもやリスベットの場合にやったような、文学的な描写におちいった。何かしらきまり悪さとでもいったようなものが、彼に、そこでの日々の生活についてあからさまな話をすることをさまたげていた。

「だって、なぜあんなに少ししか手紙をくれなかったんだ？」

ジャックは、ほんとうの理由を言わなかった。それは、父にたいしての、悪意のこもった非難の声をあげさせたくなかったからだった。（だが、それはそれとして、自分では、父の全部を否定していることに変わりはなかった。）

「孤独というものは、人を変えてしまうからな」と、しばらくまをおいてから、ジャックが言った。そして、そのことを思っただけで、彼の顔には、たちまちうつけたような表情がしめされた。「あらゆることに無神経になっちまうんだ。何かしら、こうぼんやりした恐怖とでもいったようなものがいつも身について離れないんだ。何か動作をする。だが、何も考えてなんかいないんだ。長いうちには、自分がいったい誰なのか、自分がはたして生きているのか、それさえ忘れてしまうんだ。とどのつまりは死んでしまう……それでなければ、気ちがいになるんだな」と、彼は、何かうかがうような目つきで、じっと前方をみつめながら言った。彼は、目に見えぬほどの身ぶるいを見せた。そしてちょうしを変えて、アントワーヌがクルーイへたずねて来たときのことを話しだした。

ダニエルは、何も言わずにきいていた。だが、ジャックの告白が終わりかけると、彼の顔は生きいきしてきた。

「ぼく、まだ名まえをおしえてなかったな……ニコルって言うんだ。いい名だろう？」

「とても」と、ジャックが答えた。そして、このときはじめて、リスベットの名まえを思いだしていた。

「とても似合わしい名まえだと思うんだ。いまにわかるよ。きれいと思うか、思わないか、それはきみのかってだけれど。だが、きれいというより以上なんだ。さわやかで、生きいきしていて、その目ときたら！」ダニエルはちょっとためらってから、「ふるいつきたいくらいなんだ、わかる？」

ジャックは、ダニエルの眼差しを避けていた。彼もまた、自分の恋について打ちあけ話がしたかったのだ。また、そのためにこそ来たのだった。だが、ダニエルから最初の打ちあけ話を聞かされるやいなや、彼はなんだか落ちつかなくなってしまっていた。そして、いまもなお、目を伏せて、何かしら当惑したような、ほとんど羞恥に近いような気持ちできいていた。

「けさ」と、ダニエルはちょうしをおさえることができずに話しつづけた。「ママとジェンニーは、早くから出かけて行った。ニコルとぼくと、ふたりだけでお茶を飲むことになったんだ。家の中はふたりきりだ。彼女は、まだ着物を着かえていなかった。すてきだったぜ。ぼくは、ニコルの部屋までついて行った。彼女は、いつもそこで寝ることになっている。その部屋ときたら。それに、若い娘のベッドときたら……ぼくは彼女をだきしめた。ほんのちょっとのあいだ。彼女はもがいた。だが、笑っていいた。そのからだのしなやかさといったら。すると、急に彼女は逃げだした。そして、ママの部屋へ逃げこんで、あけてくれない……や、こんな話をして、ばかだったな」と、ダニエルは、立ちあがりながら言った。つとめて微笑してみせようとするのだったが、唇がひきつれて動かなかった。

「結婚するつもりなのかい?」と、ジャックがたずねた。

「ぼくが?」

ジャックは、侮辱されでもしたような、なんともいたたまれない気持ちを感じた。ダニエルが、一刻一刻、他人になっていくような気持ちだった。そのうえ、物めずらしげな、ちょっとばかにしたような目でダニエルから見られた彼は、こちこちになってしまっていた。

「ところできみは?」と、ダニエルが身をよせながらたずねた。「きみの手紙だと、きみも……」

ジャックは目を伏せたまま、首を振った。《いや、もうすんだんだ。ぼくのことなら話したくない》そう言ってでもいるようだった。それに、ダニエルのほうでも、相手の返事などにはとんじゃくなしに、椅子から腰をあげていた。と、そのとき、若やいだ声がふたりのところまで聞こえてきた。

「あとから聞こうや……ほら、あいつらだ。行こう!」と、ダニエルは、鏡のほうをちらりとながめ、ぐっと首を立てながら、廊下のほうへ飛びだして行った。

「子供たち」と、フォンタナン夫人が呼んでいた。「おやつのしたくができましたよ……」


お茶のしたくは食堂にできていた。

すでに戸口のところから、ジャックは胸をとどろかせながら、テーブルのそばにすわっているふたりの娘の姿を見た。ふたりは、帽子も手袋もつけたまま、散歩のあとなので生きいきした顔色を見せていた。ジェンニーは、ダニエルをむかえに立って来て、彼の腕にぶらさがった。ダニエルは、それを相手にせず、ジャックをニコルのほうへおしやりながら、気楽な、陽気なちょうしで紹介した。ジャックは、ニコルの好奇的な眼差しと、ジェンニーの読みとるような眼差しとが、自分のうえにそそがれているのを感じた。彼は、フォンタナン夫人のほうへ目を向けた。おりから夫人は、アントワーヌのそば、客間の入口のところに立ちながら、しかけた話を終わりかけていた。

「……子供たちに」と、夫人は、さびしそうな微笑を浮かべながら言っていた。「人の一生ほどたいせつなものはないということ、そして、それが考えられないほど短いものであるということをしっかりのみこませてやることですわ」

ジャックにとって、こうして知らない人たちのあいだに身をおくというのは、じつに久しぶりのことだった。そして、こうした光景に興奮した彼は、あらゆる気おくれを忘れてしまっていた。彼にとって、ジェンニーは、小さく、むしろみにくいようにさえ思われた。それほどまでに、ニコルのほうは、いかにも自然な美しさと、またはでさとをしめしていた。おりからニコルは、ダニエルと話をしながら、笑っていた。ジャックにはふたりの言葉が聞きとれなかった。彼女は絶えず、おどろきと喜びとをしめそうとして、まゆを上げてみせていた。薄鼠(うすねず)色をした彼女の目は、さして深くなく、ぐっとあいだがはなれていて、つぶらにすぎるとさえ言えるほどだった。だが、それは、あくまでも輝いており、陽気であり、彼女の顔に、たえず新たな生気をあたえていた。顔は、白く、ほんのり黄ばみ、肉づきがよく、その顔のまわりには、冠のように巻きつけられた厚い編み髪が、ずっしりと、おものように見えていた。彼女は、少しかがみこむくせをもっていた。それが彼女に、いつも友だちのほうへはせよるとでもいったようなようす、どんな人にたいしても、ぴちぴちした、活発な微笑をみせるといったようなふぜいをあたえていた。ジャックは、彼女をじっと見ながら、われにもあらず、さっきダニエルの言った言葉、いかにもいやに思われた言葉、《ふるいつきたい》といった言葉を思いだした……彼女は、自分がじっとながめられているのを感じた。そして、その自然らしさを誇張するために、かえってそれを失ってしまっていた。

それはジャックが、人から感じさせられる好奇心を、少しもかくそうとしなかったからのことだった。彼には、口をぽかんとあけてながめる子供といったような無邪気さがあった。顔はきっとなり、眼差しは動かなかった。かつて、クルーイから帰ってくるまえの彼はこうではなかった。むとんじゃくに人々をおしのけ、それが誰であろうとまったく見さかいをつけなかった。ところが、いまの彼は、たといどこであろうと、商店の中だろうが、往来だろうが、ちらりと一瞥で通りすがりの人々をつかみ取っていた。もっとも、そうした人々に見いだしたものを、分析してみるわけではなかった。ただ、思考のほうが、彼の知らないうちに動くのだった。彼としては、顔だちとか、態度とか、ひとつの特徴をつかみさえすればよかった。それだけで、そうして偶然に行きあった未知の人々は、彼の想像力のなかで、たちまち何か特別な人とされ、個々別々の特質をあたえられることになるのだった。

フォンタナン夫人は、ジャックの腕に手をかけて、空想の中から引きだしてやった。

「わたしのそばであがらない？」と、夫人は言った。「さ、おばさんのそばへいらっしゃい」そう言いながら、茶碗と菓子皿とを渡してやった。「よく来てくだすったわね。ジェンニー、お菓子を持ってきてちょうだい。いまお兄さまから、小さなお住まいの中で、おふたりでどんな暮らしをしておいでだかをうかがいましたの。うれしゅうございますわ。ご兄弟が、ほんとのお友だちのようにわかりあっていらっしゃるなんて、とてもすばらしいと思いますわ！　家のダニエルとジェンニーも、とても気があっていましてね。わたし、よろこんでいるんですの。おやダニエル、笑ってる？」彼女は、おりからアントワーヌといっしょに近づいて来たダニエルのほうを見ながら言った。「この子は、いつも、年寄りのママをばかにせずにはいられませんの。さ、罰にひとつキスをしてちょうだい。皆さんがごらんになっておいでのまえで」

ダニエルは、いささかてれて、にやにやしていた。だが、身をかがめると、母のこめかみのあたりに、軽く唇をつけた。そうしたわずかなしぐさにも、いかにもあかぬけのしていることがうかがわれた。

ジェンニーは、食卓の向こうから、こうしたありさまをながめていた。彼女のしとやかな微笑を見て、アントワーヌは思わずうっとりさせられた。彼女は、またもやダニエルの腕にぶらさがりに来ずにはいられなかった。《これも》と、アントワーヌは思った。《とても愛くるしい少女だな》すでに最初の訪問のときから、彼には、その子供らしい顔にうかがわれる、ひとかどの女らしい眼差しが気になっていた。彼は、少女がときどき見せる、肩を動かすときの美しいしぐさに気がついた。それは、発育しかけた乳房をコルセットからゆすり上げ、それをまたそっと元へもどすときのしぐさだった。彼女はどこから見ても、母親似とはいえなかった。ダニエルとは、さらに似ていなかった。だが、それは、見るものを、たいしてびっくりもさせなかった。つまり彼女は、どうやらほかの人たちとはまったくちがった生活をしに生まれてきたもののように見えていたのだった。

フォンタナン夫人は、にこやかな顔へ茶碗を近づけると、それをちびちび飲んでいた。そして、茶碗から上がる湯げをとおして、ジャックのほうへ、親しみのある小さな合図をおくっていた。夫人の眼差しは、その明るさとやさしさとが、まるで光か熱とでもいったような印象をあたえていた。そして夫人の白い髪は、すばらしい王冠とでもいったように、彼女の、とてもひろい、黄いろいひたいを取りまいていた。ジャックは、目を、母から息子のほうへ移していった。彼はいま、このふたりを、心の底から好きだと思った。そして、それを相手にもわかってもらいたいと思った。というのは、彼は、人一倍、他人から誤解されたくないと思っていたからだった。彼の人々にたいする好奇心は、じつはその程度にまで達していた。すなわち、彼は、人の心の奥に、自分の居場所をほしがっていたのだった。自分自身の生活を、人々の生活のなかへ溶かしこみたいと思っていたのだった。

窓の前では、ニコルとジェンニーが、何か議論をはじめていた。そして、ダニエルも、それにひと役買っていた。三人は、いっせいに写真機の上をのぞきこみ、最後の一枚が残っているかどうかを確かめていた。

「頼まれてもらおう!」ダニエルは、とつぜん、やさしい、と同時に厳然とした眼差しをニコルの上にそそぎながら、かつての彼には見られなかったような熱のある声で言った。「さ! きみはそのままそこにいる、帽子をかぶって。そしてチボー君がきみのそばに立つ!」

「ジャック!」と、ダニエルが呼んだ。それから声を低めて言った。「お願いだ、ふたりいっしょでいるところをぜひ写したいんだ!」

ジャックは、みんなのいるところへ行った。ダニエルは、みんなをむりやり客間のほうへひっぱっていった。そこのほうが光線がいいと言うのだった。


フォンタナン夫人とアントワーヌとは、そのまま食堂に残っていた。

「きょうおたずねしましたことについて、誤解なさらないでいただきたいと思います」と、アントワーヌが言葉をむすんだ。こうして唐突さ、彼は、それを、自分の言葉に率直さをあたえるものだと思っていた。「もしジャックがこちらにあがったということ、そして、わたくしがつれてあがったということがわかりますと、弟は、わたくしの手から取りあげられてしまいましょう。そうなったら、すべてはもとのもくあみです」

「おきのどくなかたですわね」と、フォンタナン夫人がつぶやいた。そのいかにも感にたえたちょうしに、アントワーヌは思わず微笑を浮かべた。

「かわいそうだとお考えですか？」

「あなたのようなご子息さんに、信用しておもらいになれないなんて」

「それは、父が悪いからではありません。同時に、わたくしが悪いのでもありません。父は、いわゆる有名人、えらい人と呼ばれる人に属しております。わたくしは父を尊敬しています。しかし、どうでしょう、いかなる点においても、わたくしたちふたりは、けっしておなじようなことを、いや、こととばかりは申せません、おなじような考え方をしないのです。その題目のいかんを問わず、ふたりはいままで、けっしておなじ観点に立ったことがありませんでした」

「まだ、すべての人々が光を受けているとは言えませんのね」

「とおっしゃるのが、もし宗教についてのことでしたら」と、アントワーヌはいきおいこんで言った。「父はとても宗教に熱心です！」

フォンタナン夫人は首を振った。

「かつて使徒ポーロもおっしゃったように、主の前で正しい人というのは、ただ掟をまもるだけの人ではありません。それを実行するところの人なのです」

夫人は、フランスのプロテスタント特有の、そして、何世紀にもわたる抑圧の結果にちがいないうらみの気持ちから、自分が心からあわれんでいると思っているチボー氏にたいして、本能的な、はげしい反感を持っていたのだった。自分の息子が、自分の家が、いな、夫人自身までが交際を禁じられているということ、それがじつにけしからんことのように思われ、それがけがらわしい理由にもとづいているもののように思われた。夫人は、チボー氏のでっぷり太っているのをたまらないことのように思いだしながら、チボー氏が、夫人のきわめて高く評価しているもの、すなわち夫人の精神的な至上境、夫人の新教主義(プロテスタンチスム)についてとやかく言っているのをけしからんことに思っていた。そして、アントワーヌにたいし、彼がその父の処置を打ち破ってくれたことを、それだけありがたく思っていた。

「そしてあなたは」と、夫人は、急に心配になってきてたずねた。「あなたは、ずっと信仰を実行しておいでなんですの?」

アントワーヌは、ちがうといった意味をようすでしめした。夫人は、とてもうれしかった。そして、その顔は晴ればれと輝いた。

「じつを言いますと、ずいぶんおそくなってから実行したのでした」と、アントワーヌは説明した。彼には、フォンタナン夫人のいてくれることによって、頭がはっきりしてくるような気持ちだった。たしかにいつもよりおしゃべりになっているように思われた。それは、夫人が、いつも相手を尊敬し、相手をして、夫人のため、平素の水準よりずっと自分をひき上げずにはいさせないという、いかにも親切なたずね方を心得ていてくれるからのことだった。「わたくしは、真の信仰を持たずに、ただ古い習慣にしたがっていました。神は、わたくしにとって、何かしら学校の校長さんといったようなもの——何ひとつその目をのがれることのできないもの、行ないなり、規律正しさなりで、なるべく満足させておいたほうが安全なもの、といったように思われていました。わたくしは、命ぜられるままになっていました。しかし、そこには、ほとんどたいくつだけしか見いだせませんでした。わたくしは、すべての点で善良な生徒でした。宗教においても。しかし、それが信仰と言えるでしょうか？わたくしは、ほとんどそうしたものを気にかけていませんでした。それを考えてみようと思ったとき、わたくしは、すでにある程度の科学的教養を身につけていたため、ほとんど宗教的信仰をうけ入れる余地を持っていませんでした……わたくしは実証的な人間です」と、彼は得意になって言ってのけた。だが、事実を言えば、彼はその場での思いつきを述べたにすぎなかった。彼はいままで、ゆっくり自分自身を分析する機会もなく、またその暇も持たなかった。「わたくしはなにも、科学があらゆるものを説明するものであるとは言いません。しかし、それは確かめてくれます。そして、わたくしには、もうそれだけでじゅうぶんなのです。いかにしてという問題にたいする興味のほうが深いわたくしは、べつにざんねんとも思わずに、なぜということについてのむなしい探求をかえりみずにいられるのです。それに」と、彼は、追っかけるように声を低めてつけ加えた。「こうした両方面の説明のあいだには、単に程度のちがいしかないのではありますまいか？」彼は、言いわけをするように微笑した。「一方、道徳についても」と、彼は言葉をつづけた。「わたくしはほとんど関心を持っておりません。と申しますと、けしからんことを言うとおっしゃいましょうか？　だが、わたくしは自分の仕事を愛していますし、人生を愛しています。わたくしには活気があり、元気があり、そして、そうした活動力自身こそ、ひとつの行動原則をなすものであることを確かめ得たように思っています。なにしろ、今日まで、わたくしは自分のなすべきことについて、すこしもためらったことがありませんでした」

フォンタナン夫人は、なんとも答えなかった。夫人は、心の中で、自分の信仰心と、アントワーヌの不信心とをくらべていた。夫人は、主が、いつも自分の心の中においでくださることを感謝していた。夫人は、この救いの中から、無限の、そして楽しい安心をくみとっていた。だが、じつのところ、それは夫人自身から放射しているものにほかならなかった。そうしたわけで、夫人は自分自身、絶えず不運なできごとに苦しめられ、また自分のところにくる大部分の者たちよりはるかに不幸でありながら、おのおのの人にとって勇気と、均勢と、幸福の泉になってやれていたのだった。いま、アントワーヌは、身をもってそれを感じさせられていた。父の周囲にいる人々のうち、彼はただひとりの、これほど力づよい尊敬の念を感じさせてくれる人、またその人の周囲の空気が、これほど純粋であるため、これほど興奮させてくれる人を知らなかった。彼は、たとい嘘をついてでも、もう一歩夫人に近づきたいと思った。

「わたくしは、いつもプロテスタンチスムに心をひかれていました」と、彼は断言した。だが、そう言った彼は、フォンタナン家を知るまで、一度もプロテスタントのことを考えたことがなかった。

「宗教改革は、あれは宗教の分野における革命です。あなたがたの宗教には、解放の理念があるのです……」

夫人はますます高まってくる共感の気持ちで、彼の言葉を聞いていた。夫人の目には、彼がいかにも若々しく、元気で、高邁な青年のように思われた。夫人は、彼の生きいきした風貌、ひたいのあたりの注意深そうなしわを好ましく思った。そして、彼が顔を上げたとき、その顔だちの中に、考え深そうな眼差しにさらに特徴をそえているもののあるのを発見して、子供のような喜びを感じた。すなわち、彼にあっては上まぶたはいかにもせまく、大きく目をあいているときには、それがほとんどまゆの線の下にかくれてしまうため、まつげとまゆげとが重なり、どちらがどうと区別することができなくなるのだった。《こうしたひたいをした人は》と、夫人は思った。《けっして卑劣なことなどできるものではない……》すると、たちまち、つぎのような考えが心をかすめた。《アントワーヌこそ、愛されるにふさわしい男なのだ》夫人は、いまも、夫にたいするうらみに燃えていた。《こうした人といっしょになれたら……》夫人が、夫とほかの男性とをくらべてみたりしたのは、これがはじめてのことだった。しかも、これほどはっきりした痛恨を感じたこと、夫以外の人だったらあるいは自分を幸福にしてくれたかもしれないというようなことを考えたのは、まさにこれがはじめてだった。それは、ほんのつかのまの、はげしい心の跳躍だった。それは、一挙にして、夫人の心の深い底までかき乱した。だが、夫人は、ほとんどすぐにそれを恥じ、少なくも、時を移さずそれをおさえてのけることができた。だが、あとには、悔悟の気持ちが、そして、おそらくは未練の気持ちが、ずっと悲しみの尾をひいて、しばらくそのまま消え残っていた。

夫人は、ジェンニーとジャックがはいって来たことによって、そうした空想から解放された。夫人は遠くから、歓迎の身ぶりとともに、こっちへ来るように声をかけた。それはふたりが、じゃまでもしたように思ってはいけないと思ってだった。だが、夫人は、最初の一瞥で、ふたりのあいだに何かあったことを直感した。

夫人の考えはあたっていた。

ダニエルは、ニコルとジャックの写真をとってしまうと、うまくとれたかどうかをすぐ調べてみようと言いだした。彼はその朝、ジェンニーといとこに、現像のしかたを教えてやろうと言った。ふたりの少女は、廊下のはずれ、物干し室のあいているのをさいわい、そこに材料いっさいをそろえておいた。つい先ごろから、ダニエルが暗室に使うことにしていた室だった。いかにも狭い室なので、ふたり以上ははいれなかった。そこで、ダニエルは、ニコルを先にはいらせた。それから、ジェンニーのところへとんで行き、熱っぽい手を肩にのせながら、ささやいた。

「おまえ、チボーと遊んでやってくれよ」

少女は、はっきり見とおすような、非難するような眼差しを投げた。だが、それでも彼女は承知した。それほどまでに、兄は彼女にたいして勢力を持っていた。その声なり、そのずうずうしい眼差しなり、そのいらいらした態度なり、そこには何かしらいやと言わせぬ力があって、四の五の言わず望みどおりにさせるのだった。

こうしたちょっとの間、ジャックはうしろのほう、客間のガラス戸棚の前に立っていた。ジェンニーは、彼のところへやって来て、ジャックが、ダニエルのからくりに気のついていないらしいことを確かめると、口をとがらせてこう言った。

「あなた、写真うつせる?」

「いや」

少女は、その返事のなかに、目に見えない当惑のいろを見てとって、聞かなければよかったと思った。彼が、長いこと、牢屋のようなところに入れられたことが思いだされたからだった……

少女は、そうした考えからの連想と、一方なんとか言わなければならないので、さらに言葉をつづけた。

「あなた、ダニエルとはずいぶん長く会わなかったのね!」

彼は目を伏せた。

「そう。ずいぶん長いこと。うん……一年以上」

一抹の影が、ジェンニーの面をかすめた。第二問も、第一問とおなじようにまずかった。これではまるで、ジャックに、マルセーユへ逃げたことを思いださせようとでもいうようだった。が、それもしかたがない。少女は、あのできごとについて、いつも彼をうらんでいた。少女は、その全責任が彼にあるように思っていた。そして、久しいまえから、彼というものを知りもせずに、ひたすら彼を憎んでいた。そして、きょうの午後、おやつのとき、はじめて彼を見て、ふと、彼が、自分たち一家にたいしてけしからんことをしたことを思いだした。そして、最初のひと目から、無上に彼をいやだと思った。目鼻だちの悪い大きな顔といい、あごといい、ひびわれている唇といい、耳といい、ひたいの上に麦の穂のようにつっ立っている赤っ毛といい、彼女は最初から、彼をみにくい、いな、野卑であるとさえ思った。実際彼女は、ダニエルがこんな友だちと親しくしているのをゆるしがたいことに思っていた。そして、嫉妬の気持ちにかられるままに、自分と、兄の愛情をうばいあうたったひとりの相手というのが、よりによってこんなぱっとしない男であることを、ほとんどおもしろくさえ思っていた。

少女は、犬をひざにのせて、うわの空のようすでなでていた。ジャックはじっと目を伏せて、彼のほうでも、家出したときのこと、そして夜、はじめてこの家のしきいをまたいだときのことを思いだしていた。

「あたしの兄さん、ずいぶん変わったと思う?」あまり黙りこみすぎていたと思って、少女が言った。

「いいえ」と彼が言った。だが、すぐまた思い返して「そう、やっぱりね」

少女は、こうした神妙さに気がついた。そして、彼の誠実であることをうれしく思った。ちょっとのま、彼女はまえほど彼を不愉快に思わなかった。ところで、こうしたちょっとした譲歩が、ジャックにもわかったというのだろうか? 彼はいま、ダニエルのことを考えるのをやめていた。彼はじっとジェンニーを見ながら、彼女についていろいろ考えていた。彼としては、自分が少女の性質についてどう思っているか、それをはっきりとは言いあらわせないにちがいなかった。それでいて、彼は、表情がゆたかな一方、無表情でもある顔のかげ、潑剌としていながらもあくまで秘密をもらさない彼女のひとみの奥に、神経的な気まぐれと、ふるえてやまない鋭い感覚とを見てとってしまっていた。彼はふと、こうした少女をもっとよく知ることができ、その閉ざされた心の中に分け入ることができ、あるいはさらに、その友だちになることができたらどんなに愉快だろうと思った。もしこうした少女を愛することができたら？　彼は、一瞬そのことを思った。それは、限りない幸福な一瞬だった。彼はたちまち、過去のあらゆる苦しみを忘れてしまった。そして、このさき不幸になるようなことなど、ぜったいあり得ないように思った。彼の目は、部屋のまわりを見まわしていた。そして、ジェンニーへは、ただ好奇心と臆病さをまじえてほんの軽く触れてみただけだった彼は、少女の態度がいかにつつましやかであり、いかに内気であるかについては気がつかなかった。とつぜん、彼の考えは運命的な転換を見せ、その目の前には、リスベットの姿があらわれた。ほんのつまらない女にすぎない彼女、気のおけない、所帯じみた、ほとんどいてもいなくてもわからないような彼女。そのリスベットと結婚する？　彼にはいま、そうした仮定のいかにばかげていたかがはじめてわかった。では？　とつぜん、彼の生活には空虚ができた。ぜがひでもそれをうずめなければならない空虚——もしそれがジェンニーだったら、それをうずめてくれるだろうに——だからといって……

「……高等中学生？」

彼は、はっとした。彼女が何か言っているのだ。

「え？」

「あなたは、高等中学生？」

「まだです」彼は、どぎまぎしながら返事をした。「ぼくはとてもおくれているんです。兄きの友だちで、先生をしている人たちに教えてもらっているんです」そして、なんの気なしに「そして、あなたは？　おくれていない？」と、つけ加えた。

じつは、そのとおりにちがいなかった。少女は、それを聞かれてむっとした。そして、親しげな彼の目つきを無作法だと思った。少女は、無愛想なちょうしで返事をした。

「あたし、どこの学校へも行ってないの。家庭教師と勉強してるの」

彼は、とんでもないことを口にしてしまった。

「そうだ、お嬢さんにはそれでもいいんです」

少女はこれに反発した。

「ママは反対意見よ。兄さんだって」

少女は、明らかに敵意のこもった目で彼を見つめていた。とんだことを言ってしまったと気のついた彼は、なんとかして取りつくろおうと思って、お愛想のつもりでこう言った。

「もっとも、お嬢さんというものは、自分にたいせつなのをちゃんと知っているんだから……」

彼は、自分がさらにどじを重ねたことに気がついた。彼には、自分の考え方なり、口のきき方なりを統制できなかった。少年園の生活で、まるでばかになったとでもいうようだった。彼は、顔を赤くした。つづいて、血がさっと顔に上ると、たちまち無我夢中になってしまった。こうなれば、おこるよりほかに道がなかった。彼は、仕返しをしようと思って、何か気のきいた言葉をさがしてみた。だが、それもだめだった。彼はかっとなった。そして、父がしばしばつかっている、卑俗な嘲弄のちょうしでこう言った。

「たいせつなことは、学校なんかじゃ教えてくれない。りっぱな性質を持ってることが肝心ですよ！」

少女は、自分自身をしっかりおさえて、肩をすくめてさえ見せなかった。だが、おりからピュスが、大きな声であくびをしたのを聞きつけると、

「おばかさん！　お行儀がわるいわよ！」と、怒りに声をふるわせながら言った。「お行儀がわるいわよ！」少女は、も一度、勝ち誇ったようなしつこさで、おなじ言葉をくり返した。それから、犬を下におき、すっと立ちあがると、バルコンのところへ行ってひじをついた。

重苦しい沈黙の中に、長いながい五分間がすぎた。ジャックは、椅子から動かなかった。息がつまりそうだった。食堂からは、フォンタナン夫人の声とアントワーヌの声とが、かわるがわる聞こえていた。ジェンニーは、ジャックのほうへ背を向けていた。少女は、きのうピアノで勉強したひとふしを鼻うたでうたっていた。そして足で、無作法に拍子を取っていた。何から何までを兄さんに話して、これからは、こんな無作法者とつきあわないようにしてもらわなくちゃ！　少女は彼を憎んでいた。少女は、そして、まっかな顔をした、いかにももったいぶったようすの彼のほうをこっそりながめた。少女は、さらにぐっと落ちついた。そして、彼をもっとおこらせてやるには、どうしたらいいだろうかと考えていた。

「おいで、ピュス！　あたし行くわよ」

そして、少女はバルコンをはなれながら、まるで彼を黙殺するかのようにそのまえを通りすぎ、ゆっくりした足取りで食堂のほうへ歩いて行った。

ジャックが何よりおそれていたのは、こうしてここにいたら、身を動かすきっかけが見つからなくなりそうだということだった。そこで彼は、少女のあとから、だがつれだってではなしに、ついて行った。

フォンタナン夫人から親切にされると、いままでのうらみがましい気持ちは、悲しい気持ちに変わっていった。

「あら、ダニエルは、あなたがたふたりをおいてっちゃったの？」と、夫人は、ジェンニーにたずねた。

ジェンニーは、しらばっくれた顔で答えた。

「あたし、兄さんに、写真をすぐ現像してちょうだいって言ったの。もうすぐすむわ」

少女は、ジャックが、たしかに察しているにちがいないと思って、彼の目を避けていた。こうして、われにもあらず共犯者のかたちになったことから、ふたりはますますにらみ合うことになってしまっていた。彼は、少女を嘘つきだと思った。そして、兄の行為をかばっていい気持ちになっているのをけしからんと思った。少女にも、彼のそう思っていることが察しられた。そして、自尊心を傷つけられていた。

フォンタナン夫人は、ふたりのほうへ微笑してみせていた。そして、椅子にかけるようにしめした。

「わたしの患者さんも、ずいぶん大きくおなりでしたな」と、アントワーヌが言った。

ジャックは、何も言わなかった。そして、じっと下をみつめていた。彼は、絶望しかけていた。あ、自分には、とても昔どおりにはなれないんだ。彼には、自分が、弱いと同時に凶暴であり、いつも衝動に身をまかせ、苛烈な運命にもてあそばれ、たしかに病人、そうだ、心の底まで病人であるような気持ちがした。

「あなた、音楽をなさること?」と、フォンタナン夫人がたずねた。

彼には、夫人から言われたことがわからないらしかった。目には涙があふれてきた。彼は、ぐっとうつむくと、靴のひもをむすぶようなふりをした。彼の耳には、アントワーヌが、かわりに答えてくれているのが聞こえていた。耳ががんがん鳴っていた。ジェンニーから見られているのではないだろうか？　彼は、むしろ死にたいとさえ思っていた。

ダニエルとニコルとは、もう十五分以上も暗室の中にはいっていた。

ダニエルは急いでかけがねをかけると、カメラからフィルムを取りだした。

「ドアにさわらないで」と、彼は言った。「ちょとでも光線がはいると、すっかりだめになっちまうから」

最初はまっくらで何も見えなかったが、やがてニコルには、自分のそば、ランプの赤い火かげに動いている、燃えるような影が見えてきた。そしてしだいに、細長い、手くびのところでたち切られた幽霊のようなふたつの手が、小さな皿を動かしているのが見えだした。見えているのは、ただこの動いているダニエルのふたつの手だけだったが、室がとても狭いので、彼のからだのひとつひとつの動きにつれ、少女はまるで彼にさわられてでもいるようだった。ふたりは息をつめながら、互いに、運命的とでもいったような執拗さで、けさ、部屋の中でしたキスのことを思いだしていた。

「ねえ……何か見える?」と、少女はつぶやくように言った。

彼は、すぐには返事をしたくなかった。彼は、こうした沈黙によって作りあげられる、たのしい不安な気持ちを味わっていた。そしていま、暗黒のため、あらゆるつつしみから解放された彼は、ニコルのほうを向きながら、彼女の若いからだを包んでいる空気を吸おうと思って鼻をひらいていた。

「ううん、まだ」やっと彼は、きざんだようなちょうしで言った。

またもや沈黙がつづいた。やがて、ニコルのじっと見つめている皿が動かなくなった。炎に燃えるふたつの手が、光の中から離れた。長いながいあいだ。とつぜん、少女は、自分が両腕でだかれたのを感じた。彼女は少しもおどろかなかった。むしろ、待ちかまえていたことから解放されて、ほっとしたような気持だった。だが、彼女は、右に左に身をそらせながら、ダニエルの唇を——ほしくはあるが、同時におそろしくもある彼の唇をそらしていた。やがて、ふたりの顔はぴったり合った。燃えるようなダニエルの顔は、何やら弾力性のある、すべすべしたつめたいものに打ちあたった。それは、ニコルが、頭のまわりに巻きつけていた組み髪だった。彼は思わず身ぶるいした。そして、一瞬たじ

ろいだ。少女は得たりと唇をそらした。そして、かろうじて、

「ジェンニー！」と、さけんだ。

彼は、手をあてて、そのさけび声をおしころした。そして、つっ立ったまま、ニコルのからだにのしかかり、ドアのところへおしつけながら、食いしばった歯と歯のあいだでつぶやくように言った。

「しいっ……ニコル……かわいいニコル……さあ……」

少女の抵抗は弱ってきた。彼は、少女が身をまかせるものと思っていた。ところが少女は、腕をうしろへまわし、かけがねをさがしていたのだった。とつぜんさっとドアがあいた。そして、流れこむ光がやみをおかした。彼は、少女を放して、急いでドアをしめた。だが……少女は、彼の顔を見てしまっていた！　いままで見たことのない彼の顔！　中国の仮面とでもいったように、あおざめて、目はぐっとこめかみのところまでのび、ひとみはちぢまって、そこには少しの表情も見られなかった。さっき、あんなに小さかった口が、いまは、ふくれあがり、いやな形になり、半びらきになって……おじさんの顔！　ダニエルは、少しも父と似ていなかった。それでいて、さっと明らさまな光に照らし出されたとき、少女はそこに、おじのジェロームのすがたを見たのだった！

「おかげで」と、彼はやっとのことで、うわずった声で言った。「一本すっかりだめにしちゃった」

少女は、はっきりこれに答えて言った。

「あたし、逃げないわよ。あなたにお話があるの。でも、かけがねだけははずしておいてね」

「いけない。ジェンニーがやって来る」

少女はちょっとためらった。そして、

「では、もうあたしにさわらないって誓ってちょうだい」

彼は、少女におどりかかり、こぶしで猿ぐつわをはまし、ブラウスを引きさいてやりたかった。だが、それと同時に彼は、これは自分の負けだと思った。そして、

「誓うよ」と、言った。

「では、よくって。あたしの言うことを聞いてちょうだい。あたし……あたし、あなたに、ずいぶん、そう、深すぎるほど深入りさせてしまったと思うわ。あたしはけさ、まちがったことをしたの。でも、今度は、あたしはっきり《だめ》と言うわ。あたし、こうしたことになるために逃げだしてきたんじゃなかった」少女は、この最後のほうの言葉を、早口に、自分だけに言うように言った。少女はふたたび、ダニエルのために言葉をつづけた。「あたしの秘密を教えてあげるわ。あたし、ママのところから逃げだしてきたのよ。ええ、ママにたいしては、べつに文句はないの。ただね、ママはとってもかわいそうなの……そして、引きずられているの。あたし、これ以上言いたくないわ」少女は、ちょっとまをおいた。あのにくらしいおじの顔が、彼女の目からはなれなかった。おじが、母にさせたであろうとおなじことを、息子が、この自分にもさせようとしている。「あなたには、あたしというものがよくわかっていないのよ」と、少女は急いで言ってのけた。ダニエルの黙っているのがこわかったのだ。「あたしもたしかに悪かったわ。あたし、あなたにほんとうのあたしを見せたかったの。ジェンニーにだけはそれを見せていた。あなたとは、すこしのんきになりすぎてたわ。それであなた

は、このあたしが……ええ、ところがそうではなかった。だめ。あたし、こんな一生……こんなふうにしてはじまる一生はいや。それならそれで、なんでわざわざ、テレーズおばさまのところへくる必要なんかあったでしょう？　いいえ！　あたしは……あなた笑うかもしれないわね。でも、そんなことはかまわない……あたし、いつかは……あたしをほんとうに、そして永久に愛してくれる人から尊敬されたいと思っているの……まじめな人に……」

「ぼくもまじめだ」と、ダニエルは言ってみた。なさけない微笑を浮かべているのが、声のちょうしにもうかがわれた。少女はすぐに、あらゆる危険が去ったと思った。

「ちがうわ」と、彼女は、ほとんど快活なちょうしで言った。「ダニエル、あたしの言うことおこっちゃいや。ね、あなたはあたしを愛していないわ」

「じょうだんじゃない！」

「そうなの。あなたが愛しているのはあたしではないの……ほかのものなの。そして、あたしだってあなたを……ねえ、あたし率直に言わせていただくわ、あたし、とてもあなたのようなかたを好きになれない」

「ぼくのような？」

「つまり、ほかの人たちとかわりのないっていうことなの……あたしが……愛したいと思うのは、そう、もちろんあとでのことだけれど、誰か純粋な、もっとちがったやり方で……もっとちがったものを求めて……あたしのところへやってくる人なの。なんて説明していいかわからない。つまり、あなたとはずっとちがった人」

「たくさんだ！」

彼は、もうすっかりあきらめていた。そして、いまはただ、見苦しく見られまいということばかり考えていた。「さ」と、少女は言葉をつづけた。「仲なおり。そして忘れてしまいましょう」少女は、ドアを細めにあけた。彼は、今度は、彼女のするままにさせておいた。「ふたりはお友だちね？」少女は、手を出しながら言った。彼はなんとも答えなかった。そして、少女の歯、少女の日、少女の皮膚、まるで果実のようにつやつやしたその顔をながめていた。彼は、苦しそうな微笑を浮かべた。そして、まぶたをしばだたいた。少女は彼の手を取って、それをしっかり握りしめた。

「あたしの一生をだいなしにしないで」と、少女は、甘ったれた口調で言った。そして、まゆを上げ、おどけたようすで「きょうのところは、フィルム一本だけでおしまい」

彼もまた笑ってみせた。少女は、そうまでしてもらおうとは思わなかった。それを見るなり、何か悲しい気持ちになった。だが、なにしろ少女は、自分の勝ったことが得意だった。また、あとになって、彼が自分をどう思うだろうかを考えて得意だった。

「どうだったの？」ふたりが食堂に姿をあらわすやいなや、ジェンニーがさけんだ。

「だめだった」と、ダニエルは無愛想に言った。

ジャックは、うらみがましい気持ちから、むしろそれをうれしく思った。ニコルは、人が悪そうに微笑した。

「すっかりだめだったわ!」と、彼女もつづいてくり返した。

だが、引きつれたような顔をそむけ、わきあがる涙に目をくもらせているジェンニーを見ると、彼女はいきなりかけよってキスしてやった。


ダニエルがはいってくるなり、ジャックはもう自分のことを考えるのをやめていた。彼は、ダニエルから注意をそらすことができなかった。ダニエルの顔には、新しい表情がしめされていて、見ていて苦しいほどだった。顔の上部と下部との食いちがい、そして、どんよりした、不安そうな、こちらを避けているような目つきと、唇をにっと上げ、顔の造作をすべて左のほうにかしがせてみせている卑しい微笑との不調和。

ふたりの目が、ぱったり会った。ダニエルは、軽くまゆをひそめると、居場所をかえた。

こうした不信な態度が、何より深くジャックの心を傷つけた。ここへ来てから、彼は、ダニエルに失望させられつづけだった。いま、彼にはそれがはっきりわかってきた。ふたりの中には、ほんのしばらくの真の接触も見られなかった。彼は、ダニエルに、リスベットの名さえ言って聞かせられなかった! 彼は一瞬、こうした幻滅を悲しく思った。彼は実際、自分でもそれと知らずに、わが恋人にたいしてはじめて批評がましい判断を下してしまったことや、こうしてわが恋人を見失ってしまったことを悲しく思っていた。彼は、すべての子供たちとおなじように、ただ現在だけに生きていた。というのは、過去はたちまち忘却の中に消えてしまい、未来は、ただいらだたしい思いをさせるにすぎなかったから。ところが、その現在は、きょう、なんともたまらない悲しみの色に染まろうとしていた。そして、きょうの午後は、あわや無限の絶望のうちに終わろうとしていた。こうした彼は、アントワーヌから、出かけるしたくをするように合図をされたとき、思わずほっとした。

ダニエルは、アントワーヌの合図を見てとった。そして、急いでジャックのそばへ寄って来た。

「まだいいだろう?」

「いや」

「もう?」と、ダニエルは、さらに低い声で言った。「だって、ちょっとしか会えなかったのに」

彼もまた、きょう一日から、失望だけしか受けとっていなかった。そこには、ジャックにたいしての、いな、さらに苦しいものとして、おたがいふたりの友情にたいしての悔恨の気持ちがまじっていた。

「許してくれ」ダニエルは、とつぜんこう言いながら、ジャックを窓のかまちのほうへおしていった。ジャックは、そのいかにもつつましい、また人のよさそうなようすを見せられて、あらゆる不快を忘れてしまい、ふたたび昔の友情に引きもどされるように感じた。「きょうはだめだった……こんど、いつ会える?」ダニエルは、せき込みながら言葉をつづけた。「ふたりきりで会いたいんだ、ゆっくり。おたがいなんだかわからなくなっちまった。それもいまさらむりはない、まる一年、会わないでいたんだから! だが、このままにしといてはいけないんだ」

ダニエルには、とつぜん、ふたりの友情がこの先どうなってゆくだろうかが考えられた。それは、ずいぶんまえから、なにものによってもはぐくまれていなかった。そうだ、ただわずかに、ついいましがた、そのいかにもろいものであるかがわかったふしぎな誠実さによってのみささえられていたにすぎなかった。そうだ、この友情をほろびるにまかせてはいけない！　彼にとって、ジャックはいささか子供らしく見えていた。だが、ジャックにたいする愛の気持ちは、ぜんぜん昔のままだった。しかもおそらく、自分を年上と思えばこそ、さらにはげしさをましていた。ちょうどそのとき、

「日曜には、みんな家におります」と、フォンタナン夫人が、アントワーヌに言った。「パリには、賞品授与式がすむまでおりますわ」夫人の目は輝いていた。「ダニエルが賞品をいただきますの」夫人は、その得意さをかくしきれずに、ささやくようにそう言った。夫人はとつぜん「あの」と、言った。そして、息子がむこうを向いていること、こちらの声がとどかないのをたしかめると、「ちょっとこちらへいらしって。家宝をお目にかけますから」夫人は、いそいそと、自分の部屋のほうへ急いで行った。アントワーヌも、あとにつづいた。夫人の仕事机のひきだしには、ボール紙に色を塗った、二十ばかりの月桂冠（卒業式の際、学校で優等生のために与えるもの）がならべられていた。夫人は、ほとんどすぐにひきだしをしめた。そして、彼女は、こんな子供らしいことをしたのにてれたようすで、まがわるそうに笑いだした。「ダニエルにはおっしゃらずにね」と、夫人が言った。「こうして取ってあるのを知らないんですから」

ふたりは、黙ったまま、玄関へもどった。

「どうだね、ジャック？」と、アントワーヌが呼んだ。

「きょうは勘定に入れますまいね」と、フォンタナン夫人は、両手をジャックのほうへ出しながら言った。夫人は、じっと彼をみつめていた。何から何まで察しているというようだった。「ここはあなたのお友だちの家。いらっしゃりたくなったら、いつでも歓迎しますわ。もちろん、お兄さまもどうぞ」夫人は、アントワーヌのほうをふり向きながら、愛想をみせて言った。

ジャックは、目でジェンニーをさがしていた。だが、少女は、いとこといっしょにどこへ行ったかわからなかった。彼は、小犬のほうへ身をかがめた。そして、しゅすのようなつやをしたひたいにキスしてやった。

フォンタナン夫人は、食卓をかたづけようと思って食堂にもどった。うわの空で彼女のあとについて来たダニエルは、ドアのかまちにもたれながら、黙ってタバコに火をつけた。彼は、ニコルに言われたことを考えていた。いとこが家出をしたこと、そして、自分たちのところにかくれ家を求めて来たこと、それをなぜこの自分に言ってはくれなかったのだろう？　また、かくれ家というのはなんのためだろう？

フォンタナン夫人は、いかにも軽やかな身のこなしで、行ったり来たりしていた。それが夫人に、若々しいものごしをあたえていた。夫人はアントワーヌと話したこと、彼が聞かせてくれた彼自身に関するいろいろなこと、勉強のこと、将来の計画のこと、またその父親のことなどを考えていた。

《りっぱな心をもったかた》と、夫人は思った。《それに、なんというりっぱなひたい……》夫人は、それを形容する言葉をさがしていた。《瞑想的》と、夫人は、たまらなくうれしそうにつけ加えた。このとき、夫人は、さっき自分の心をかすめたことを思いだした。自分も一瞬、心の中で罪を犯したのではないだろうか？　夫人の心の中には、グレゴリーの言った言葉がよみがえってきた。

夫人はたちまち、べつにはっきりした理由もないのに、心の中に、大きな喜びのもりあがってくるのを感じた。そして、思わず、手に持っていた皿を下におき、その手でさっと顔をなでた。まるで、その喜びを、自分の顔のうえにさわってみたいとでもいうようだった。夫人は、驚いている息子のほうへ歩みよった。そして、その肩の上に快活そうに手をおき、じっと目の奥をのぞきこみ、何も言わずにキスしてやってから、さっと部屋を出て行った。

夫人は、まっすぐに、自分の仕事机のところへ行った。そして、いささかふるえる子供らしい太い書体で、つぎのような手紙を書いた。

ジェームズさま

わたし、あなたのまえでたいそう傲慢でございました。わたしたちふたりのうち、誰にさばく権利がありましょう？　わたしは、主に、ふたたび光をおあたえくださったことを感謝しております。どうかジェロームに、わたしが離婚を取りやめにしたとお伝えください。どうかあの人に……

文字は、涙をとおしておどっていた。

十二

それから幾日かの後、ジャックは、朝まだき、よろい戸をたたく音に目をさました。くず屋が、門をあけてもらえなかったのだった。くず屋の耳には、家番室の中でたしかにベルの鳴るのが聞こえていた。そこで、何か変事でも、と思ったのだった。

まさにそれにちがいなかった。フリューリンクばあさんは死んでいた。最後の発作で、ベッドの下にたたき倒されていたのだった。

ジャックは、ちょうど老婆がふとんの上に寝かされるところへ行き合わせた。半分あけた口からは、黄いろい歯が見えていた。それは彼に、何かおそろしいものを思いださせた。そうだ、トゥーロンへ行く道でみた葦毛の馬の死骸……と、彼は、リスベットがやって来るかもしれないと思った。

二日たった。彼女はやって来なかった。おそらくやって来ないだろう。それでよかった。彼には、自分の感情がはっきりつかめずにいた。天文台通りの家をたずねたあとでも、彼は、自分の恋人のことをたたえた、そして、彼女が遠く去ったことを嘆く意味の詩をつくりつづけていた。だが、じつのところ、ふたたび彼女に会えようなどとは考えてさえもいなかった。

それでいて、彼は、日のうちに何べんとなく家番室の前を通ってみた。そして、そのたびごとに、落ちつかない眼差しを室の中にそそぎこんでいた。そして、そのたびごとに、安心して、だが、ものたりない気持ちで帰って来ていた。

葬式の前日、父がメーゾン・ラフィットへ出かけて以来、兄といっしょにそこで食事をすることにしていた小料理屋でひとりで晩飯をすまして帰って来たとき――まず第一に彼の注意をひいたのは、家番室の戸口に、スーツケースがひとつほうり出されていたことだった。彼は身ぶるいした。そして、顔には汗がにじんできた。棺のすそ、ろうそくの灯(ひ)のつくり出している明るみの中に、ひとつの子供らしい影が、喪のヴェールをかぶってひざまずいていた。彼は、ためらうことなくはいって行った。ふたりの童貞さんが、その無表情な眼差しを彼にそそいだ。だが、リスベットは、ふり返ってみようともしなかった。夕立模様の晩だった。暑い、甘ったるいにおいが、室の中に満ちていた。棺の上には、いろいろな花がしおれかけていた。ジャックは、はいったのを後悔しながら、立ちすくんでいた。彼は葬式の道具立てを見ながら、なんともいえず気持ちを悪くさせられた。彼はもう、リスベットのことも考えていなかった。そして、逃げだす機会をねらっていた。ひとりの童貞さんが、ろうそくのしんを摘もうと立ちあがった。彼は、それをしおにぬけだした。

リスベットは、彼のいるのに気がついたというのだろうか？　彼の足音を聞いたとでもいうのだろうか？　彼がまだ住まいの戸口まで行きつかないうちに、はやくも彼女は追いついて来た。その足音を耳にして、ジャックはうしろをふり向いた。ふたりは、しばらくのあいだ、階段の薄暗いすみのところで、向かい合っていた。彼女は、ジャックの出した手も目にはいらず、おろしたヴェールのうしろで泣いていた。彼もまた、ばつをあわせるために泣きたかった。だが、彼はいささかの倦怠と、気おくれの気持ちを感じただけにすぎなかった。

階上で、ドアのあく音がした。ジャックは、こうしたところを見られたくないと思って、鍵を出した。だが、あわてているのと暗いのとで、なかなか鍵穴が見つからなかった。

「鍵がちがうんじゃない？」と、女が言った。彼は、その尾を引くような、聞きなれた声を耳にして動揺した。

やっとのことでドアがあいた。女はためらっていた。人の足音が、一階一階おりて来ていた。

「兄さんは宿直なんだ」ジャックは、女の決心をうながそうと、ささやくように言った。そして、自分のあかくなっているのを感じていた。

女は、べつに悪びれたようすもなく、住まいのしきいをまたいだ。

戸をしめ、明かりをつけたとき、彼は、女がまっすぐにふたりの部屋へ行き、かつてのままのしぐさで長椅子に腰をおろすのを見た。彼はそのとき、ヴェールをとおして、ふくれあがったまぶたと、同時に、おそらく醜くなったせいもあろうが、悲しみのために相好の変わっている女の顔を見た。彼は、女の一本の指に包帯のされていることに気がついた。彼は、腰かける気になれなかった。彼は女の帰って来ることになった不吉な事情を、頭からはらいのけることができずにいた。

「なんてむしむしするんでしょう」と、女が言った。「夕立でもきそうね」

女は、長椅子に掛けていたからだをいざらせた。そうした態度は、さもジャックに、自分のそば、彼の席にすわるようにというようだった。彼はすわった。するとたちまち、ひとことも言わず、ヴェールもそのまま、ただジャックのほうへ向いているほうを少しあけたと思うと、かつてのように、顔と顔とを合わせに来た。彼には、しめった頬の肌ざわりが気味わるかった。薄紗（うすしゃ）のヴェールからは、染料のにおい、ニスのにおいがたっていた。彼にはいま、どうしたらいいか、またなんと言ったらいいかわからなかった。彼は、女の手を取ろうとした。女はあっと声を立てた。

「けがをした？」

「あ、これ……ひょうそなのよ」と、女はためいきをつきながら言った。

すべては、このためいきの中にこめられていた。女の痛みも、女の悲しみも、女のあてもない愛情の波も。女は、放心したように包帯をほどいていた。そして、元気のないなま白い指、ひょうそのためにつめのはがれた指が見えだしたとき、彼は、女から、どこかかくれていた肉をはがしてみせられでもしたように、ハッと息がつまり、一瞬目の前がくらくらした。だが、寄せあっているからだのぬくみは、着物をとおしてせまっていた。女は、彼のほうへ、陶器のような目を向けた。いじめないで、と、たのみつづけているような目。そこで彼は、いやとは思いながら、悪いほうの手にキスして、忘れさせてやろうと思いたった。

だが、女はすでに立ちあがっていた。そして、指のまわりに、悲しそうに包帯をまきかけていた。

「あたし帰らなくっちゃあ」と、女が言った。

そのいかにも疲れきったようすを見て、彼は言った。

「紅茶を入れてやろう。ね?」

女は彼に、妙な眼差しをそそぎかけた。そうしたあとで、はじめて微笑してみせた。

「どうぞ。あたし、あっちへ行ってちょっとお祈りしてくるわ。すぐ帰って来てよ」

彼は大急ぎで湯をわかし、紅茶を入れ、それを自分の部屋へ持っていった。リスベットは、まだ帰って来ていなかった。彼は椅子に腰をおろした。

いま、彼は、女が帰って来てくれればいいと思っていた。何やら落ちつかなかった。だが、それがなぜだか、はっきりさせようとも思わなかった。なぜ帰って来ないのかしら? とはいえ、女を呼ぼう、フリューリンクばあさんと彼女の取りっこをしようなどとも思わなかった。だが、なにをぐずぐずしているのだろう? 時は、刻々うつっていった。彼は、幾度となく、紅茶わかしにさわりに行った。そして、茶がさめてしまったとき、彼には、もう立ちあがるなんの口実もなかった。そして、彼はじっと動かずにいた。あまり明かりをみつめていたので、目が痛かった。待ちこがれの気持ちから、どうやらからだも熱っぽかった。彼は、よろい戸のすきからさしこむ稲妻の光に、神経をたたかれてでもいるようだった。いったい帰って来るのだろうか? からだがだるい。なさけないような気持ちだった——死ぬほどなさけないといった気持ちだった。

にぶい雷鳴。パーン！　紅茶わかしが破裂した！　それみたことか！　茶は、雨のように降りかかって、よろい戸にまでかかっていた。リスベットは、ずぶぬれになり、湯は、彼女の頬やヴェールの上にまで流れていた。クレープは色がはげ、とてもとてもうすい色になり、花嫁のためのツル織絹のように透きとおっていた……

ジャックはハッとおどりあがった。ちょうど、彼女がそこへ来て腰をかけ、彼の顔にふたたび自分の顔をおしあてたところだった。

「Liebling, あんた、寝てたの？」

いままで一度も、彼女はあんたと言ったことがなかった。女は、ヴェールを取ってしまっていた。彼は、目もつかれ、口もだらけきってしまっていたが、そこにリスベットのほんとの顔を見た。女は、肩で、疲れたような身ぶりをした。

「こんど」と、女は言った。「あたし、おじさんのお嫁さんになるの」

彼女は、ぐっと頭をさげた。泣いているのだろうか？　言葉のちょうしはしめやかだった。だが、そこにはあきらめのちょうしがみられていた。こうした新しい未来にたいして、女が、いささかの好奇心を持っていないとどうして言えよう？

ジャックは、あまり深くはその分析を進めなかった。彼は、女が不幸であれかしと望んでいた。それほどまでに、彼はいま、女をあわれむことに快感を感じていた。彼は、女のからだに腕をまわした。

そして、だんだんきつくだきしめていった。まるで、相手を、自分の中に溶かしこんでしまおうとでもいうようだった。女は、唇を求めてきた。彼のほうでも、待っていたとばかりのはげしさで、それをあたえた。それは、いままでかつておぼえのない、全身的な興奮だった。女は、たしかにブラウスのホックをはずしていた。ジャックの手の中に、たちまち、ほとんどそうしようとも思わずに、むき出しの乳房の燃えるような重さが感じられたから。

彼女は、そのとき、くるりとむきなおった。それは、ジャックの手に、もっと自由に、自分のからだをなでてもらおうと思ってだった。そして、ジャックは、着物の下に、なんらさえぎるものもない肉体を感じた。

「いっしょに、フリューリンクおばさんのために祈りましょう」と、つぶやくように彼女が言った。

彼は、少しも微笑しようという気持ちになれなかった。彼は真剣に抱擁していた。それはたしかに、祈ってでもいるようだった。

女はたちまち、うめき声を立てて身をふりほどいた。彼は、自分が女の痛い指にさわったのか、それとも女が逃げだそうとしているのかと思った。だが女は、明かりを消すためにひと足踏みだしただけのことだった。そして、ふたたび、彼のところへもどって来た。彼は、耳のそばで「Liebling!」と言う女の声を聞いた。それにつづいて、女の唇が、もう一度すべるように自分の口を求め、熱に浮かされたような指先が、自分の着物の下をさぐっているのを感じた……

彼は、またもや雷鳴に目をさました。雨は、中庭の石畳の上にどしゃぶりに降っていた。リスベットは……彼女はどこにいるのかしら？　まっくらだった。ジャックは、乱れた長椅子の上にひとりだった。彼は、起きあがって、彼女をさがしに行きたかった。彼は、ひざをついて起きあがろうとした。だが、なんとも眠くてたまらなかった。そして、ふたたびふとんの中に横になった。

ようやく目をさましたとき、あたりはすっかり昼になっていた。

彼には、まずテーブルの上の紅茶わかしが目にはいった。つづいて、ゆかの上に落ちている、丸められた上着が見えた。彼は、思いだして、起きあがった。するとたちまち、しゃにむに自分の身についているものをぬぎすてたい気持ち、べたついているからだをざぶざぶ洗ってしまいたい気持ちになった。つめたい水を浴びると、まさに洗礼を受けでもしたような感じだった。彼は、水のたれるからだのままで、あるいは腰をそりかえらせ、あるいはたくましい足や新鮮な皮膚にさわってみながら、自分の裸に見とれることの恥ずかしさも忘れて、部屋の中を行ったり来たり歩きはじめた。鏡の中には、すらりとした自分の姿がうつっていた。そして、彼は、久しぶりで、なんら心を乱されることなく、自分のからだのありとあらゆる特徴にながめ入った。《脱線》のことを思いだしては、彼は肩をすくめてみせさえした。そして、そのあとでは、寛容な微笑さえ浮かべた。《みんな子供のいたずらなんだ》と、彼は思った。そうしたこともこれが終わりで、いよいよ、久しく忘れていた力、久しく道からそれていた力が、ほんとの軌道に立ちもどってきたかのような感じだった。ゆうべのことをはっきり考えてみるまでもなく、リスベットのことさえ考えないで、彼はいま、心たのしく、心身ともにきよめられたような気持ちだった。それは、何かを発見したというような気持ちではなかった。むしろ、かつての日の均斉を取りもどしたといった気持ちだった。たとえば、健康の回復を見て、それを喜び、べつにおどろきもしないでいる予後の病人とでもいった感じだった。

あいかわらず裸のままで、彼はこっそり玄関をぬけ、入口のドアを細めにあけた。家畜室の暗がりの中には、昨日の夕方とおなじように、ヴェールをかぶったリスベットが、ひざまずいているらしかった。はしごをかけた男たちが、入口のドアに黒い布を張っていた。彼は、葬式は九時だったな、と思いだした。そして、お祭りへでも行くような気持ちで、大急ぎで着替えをした。けさというけさ、彼にとっては一挙一動が喜びだった。

彼がひとわたり室をかたづけてしまったとき、メーゾン・ラフィットからわざわざ帰って来た父が、彼をよびに来た。

彼は、父のそばについていて、葬列のうしろから歩いていった。会堂では、ほかの人たち、何も知らない人たちのあいだを並んでいった。そして、たいした感激もなしにリスベットの手を握った。

その日一日、家畜室はからだった。ジャックは、一刻また一刻と、リスベットの帰ってくるのを待っていた。だが彼は、そうした待ち遠しさのかげにひそむ欲情を、はっきり読んでいたわけではなかった。

四時。ベルの音がした。彼はとんで行ってドアをあけた。ラテン語の先生だった！　彼はきょう、復習のあることをすっかり忘れていた。

うわの空でホラティウス（有名なローマの詩人）の説明を聞いていると、ふたたびベルの音がした。今度はまさに彼女だった。彼女は、しきいのところから、ひらかれた部屋のドアと、机の上にかがみこんでいる先生の背中を見た。しばらくのあいだ、ふたりは向かい合ったまま、互いに目と目でさぐり合った。ジャックは、女がいとまごいに来たこと、そして今夜六時の汽車でたつことなど、ほとんど忘れてしまっていた。女のほうでも、何かいうだけの勇気がなかった。ただ、からだをこまかくふるわせていた。女のまぶたがしばしばだたいた。女は、そのわるいほうの指を口まで上げ、さも汽車が、すでに彼女を永遠に運び去ろうとしてでもいるように、すぐ近くから、彼に向かって短いキスを投げた。そして、そのまま逃げて行った。

先生は、ふたたび読みかけていた文章を取りあげた。「Purpurarum usus（《紫衣を用いること》）purpura quâ utuntur（《彼らの用いる紫衣》）とおなじだ。そこのニュアンスがわかるかね？」

ジャックは、さもそのニュアンスがわかったとでもいうように、微笑を浮かべていた。彼は、リスベットがまたかえって来るだろうと思っていた。あの玄関の薄暗がりのなかで、ヴェールを上げた女の顔、また、包帯で包んだ指で、まるで唇からむしり取るようにして投げてくれたキスのことを思っていた。

「つづけて」と、先生が言った。

一九二一年

少年園　了

解説

虐げられた魂、そして愛の媚薬

『少年園』という巻は、二つの部分にはっきり分けられる。前半はアントワーヌの少年園訪問の数時間、後半はパリでのチボー家兄弟の生活であり、とくに彼らのフォンタナン家訪問の場面、そしてフリューリンクおばさんの葬式の日のジャックとリスベットの愛の場面である。

母親の温かい抱擁で迎えられたダニエルの場合とは違って、ジャックは冷厳な父によって少年園に閉じこめられることになった。『灰色のノート』での脱出の試みの代償は、感化院への幽閉ということになったのである。

この閉ざされた奇怪な世界へのアントワーヌの探索を、『少年園』という巻は物語るのだが、その探索は、一種の探偵小説的なミステリー手法で進められる。アントワーヌが面会したジャックは、まるで別人のように変わり果てている。まったく無気力となり、少年園の生活に満足していると答えるだけで、心を開いて語ろうとしないジャックの不可解な態度に、アントワーヌはかえって疑惑と不安の念を搔きたてられる。ジャックの頑固な沈黙と、園長フェームの手際よい応対ぶりが、その背後にある不気味な現実を隠蔽していると思えるのだが、アントワーヌはその実体を把握できないもどかしさに苦しむ。

このもどかしさと不気味さは、不透明な世界に囲まれたカフカの小説の主人公たちの不安と似通っているが、カフカの象徴的な世界と異なって、この小説の場合、それはあくまで現実世界のことである。それでいてこの少年園という現実の小宇宙は、当時のカトリック的な管理社会の不可解さ、陰険さ、偽善、腐敗を象徴するかのようでもある。

それにしても、ジャックのこの極端な性格の変化は、どうしたことなのであろうか。かつての強気の反抗児がどのようにして一挙にこのような気力喪失に陥ってしまったのであろうか。私たちはここで、『灰色のノート』で見た、あのジェンニーの不可解な急病のことを思い出してよいのではなかろうか。ジェンニーの場合には、その身に耐えきれぬ精神的な重圧が、肉体を押し潰したのであった。『少年園』のジャックの場合は、その逆の現象が極端に現われているのだと解することができる。クルーイ少年園は懲罰機関であり、もはや脱出も許されぬ牢獄にほかならない。ここでは、個人の人格が一切認められぬという精神的圧迫だけではなく、監禁と虐待という肉体的拷問が課せられていたのだった。園長フェームは、この少年園では禁固室など必要とせず、「説得」によって効果をあげている、と説明するが、その「説得」とは、じつは食事を与えずに、他の収容児たちが食事するのを見せておくことなのであった。食べものによる虐待が、もっとも効果的な拷問になる。それのみならず、ジャックは看守の小遣いかせぎのために、いかがわしい絵をかかされたり、ホモセクシュアルな行為を強制されていたふしさえある。このような精神的・肉体的な拘束と圧迫が極限状態にまで強められたとき、人間の精神にどのような反応を惹き起こすか……人間の精神と肉体との関係の問題に最も大きな関心を寄せるマルタン・デュ・ガールは、ここでジェンニーの病気とは逆の場合を採り上げているといってよいのである（であるからここでも、ジャックの魂の病は、この幽閉から開放されることによって、たちまちに癒されるはずなのである）。

しかし少年園の囲いのなかで反抗を封じられたジャックは、屈従のなかに閉じこもっていた。このようなジャックの姿を評して、アルベール・カミュは次のように書いている。

この沈黙による以上に、あの屈従を翻訳することはできない。（……）屈従の客観描写は、狂熱的で歯ぎしりするような手段によるドストエフスキーと、叙事詩的様式によるマルローによってしか、成功したことがない。それも穏やかで静かな色彩により、屈従を描こうとした者はいないのであって、おそらくマルタン・デュ・ガールは芸術でもっとも困難なものに成功したのだ、と言ってもよいだろう。（拙訳、アルベール・カミュ『マルタン・デュ・ガール論』——法律文化社版、マルタン・デュ・ガール『文学的回想』所収）

このような自己喪失のなかからジャックを救い出すのは、アントワーヌの肉親としてのぬくもりなのであるが、その兄弟愛も固く閉じた弟の心をすぐに開かせることはできない。

電車に乗り遅れたことでアントワーヌは再び少年園を訪れ、弟をコンピエーニュの町に連れ出すことに成功する。しかし、

彼（＝アントワーヌ）は、すでにジャックとのあいだに、兄弟としての、ほんとの打ちとけた気持ちを回復するあらゆる希望を失ってしまっていた。（六三ページ）

兄がそのような絶望感を抱いたすぐあとで、ジャックは菓子屋の前で立ちどまってしまう。「さ、おはいり！」とアントワーヌは優しく声をかけ、皿をすすめたり、ポルトをついでやったりして、温かく世話してやる。「ジャックは、ひとことも口をきかずに、椅子の上にぐったり腰をおろし、いまにも泣きだすかと思われるほど目を

充血させて、食っていた」。（六四ページ）この飢餓状態からの救いをきっかけに、ジャックは、本心を露わにして、アントワーヌに打ちあけ話を始めることになったのだった。

アントワーヌがジャックを少年園から連れ出し、自分の手許において教育したい、と願い出たとき、父チボー氏は勿論大反対であったが、ヴェカール神父の説得が効を奏して、ジャックの帰還が許されることになる。このときチボー氏には、息子のことより重要な学士院会員選挙という目先の問題があり、二十年来の宿望であったこの選挙を前にして、名誉欲にとりつかれた彼は、ヴェカール神父の言に従うほかはなかったのである。（彼の少年園設立もまた、一種の売名のための社会事業にほかならなかったのだ。）

弟を救い出すという立派な行為を果たしたアントワーヌの心理にも、微妙なニュアンスが伴う。弟への愛や誠意に嘘偽りはないのだが、そこには青年らしい、そしてアントワーヌ一流の自己満足が見てとれぬことはない。

彼はいま、こんなにも陽気な、こんなにも強い自分自身を見いだすことのできたのがうれしかった。（八二ページ）

であるから、ジャック帰宅前日のアントワーヌの心のなかに、次のような現実主義者の自己中心的な反省が伴ってもしかたがない。

弟といっしょに暮らそうという彼の案は、たちまち現実の光に照らしだされ、まるで取りかえしのつかないばかなことのように思われだしてきた！　もはや、自分が引きうけた責任のことなど、考えてなぞいられなかった。彼はいま、今後どうしたところで、自分の活動をさまたげずにはいないであろう束縛のことしか

考えていなかった。(一五二―一五三ページ)

もちろん、これは彼の心をよぎった一時の翳りにすぎなく、翌日のアントワーヌは、それとは正反対の気持ちで、ジャック帰宅の朝を迎えるのである。しかし、マルタン・デュ・ガールは、人間の心の微妙な動きを何ひとつ見逃すことのない作家であって、このようなそこはかとない心の翳りや、小さな動作の一つ一つが作中人物たちを生命ある真実なものとする。この小説では、一行たりともうかつに読み飛ばしてはいけないのである。このような緻密な人間観察の態度を、フランス文学ではモラリスト的態度と呼んでいる。

アントワーヌとジャックの性格の違いは、ジャックがパリに帰ってからのリスベットとの兄弟がらみの交渉にもよく現われる。リスベットはチボー家の家番フリューリンクおばさんの姪である。卒中で倒れたおばの看護と手伝いのため、リスベットはストラスブールからやってきて、まず数週間チボー家の人となる。アントワーヌは二十四歳、ジャックは十五歳、そしてリスベットは十九歳である。リスベットはまずアントワーヌと性的交渉をもつ。ところがアントワーヌは、弟の情緒を早く安定させようという配慮からか(それとも、ジャックの同性愛的段階を早く抜け出させようとする教育的配慮からか、もしくは兄としてのいたずら心からか)、彼女にジャックを誘惑するよう唆すのである。だが結局、その数週間のリスベット滞在中には、アントワーヌの目論見どおりにジャックが性の開眼をすることはない。ふたりは、ゲーテの詩などを通して急速に心を通わせる。しかしふたりの肉体的接触は、いいなずけとしての「清らかな愛撫」の程度にとどまる。なぜなら、「彼女のそばにいるとき、彼はなんら不純な欲情におそわれなかった。彼にあって、《精神》と《肉体》とは、きわめて完全に分離していた」(一八二ページ)からである。リスベットは、その不首尾をアントワーヌに告げて、ストラスブールに戻ってゆくが、その出発はジャックを激しい悲しみに陥れる。そしてジャックは兄に、「だまって、だまって……兄さんにはわからないんだ。兄さんにはとてもわからないんだ」と言う。この言葉をジャックは、死ぬまで兄に繰り返すことになるのである。

アントワーヌとジャックのフォンタナン家訪問のくだりは、ことのほか充実した場面を構成する。それは大まかに言って、アントワーヌとフォンタナン夫人、ダニエルとニコル、ジャックとジェンニーという三組の男女が醸しだすそれぞれ異なる独特のニュアンス、そしてそれらの絡みあいからなっているが、そのニュアンスが六人の男女の性格の特徴を正確に浮かび上がらせてくれる。

アントワーヌとフォンタナン夫人の場合は、おとなどうしの分別が、相寄るふたりの心を、かりそめの媚薬にしばし身を任せるだけの喜びに押しとどめる。アントワーヌは「わたくしは、いつもプロテスタンチズムに心をひかれていました」と心にもないことを言って、夫人に近づこうとする。つねにいくらか不純で厚顔なところのあるアントワーヌの積極性がよく現われている。夫ジェロームへの失望と恨みに苛まれていた夫人は、「アントワーヌこそ愛されるにふさわしい男なのだ……こうした人といっしょになれたら……」という危険な思いによぎられるが、すぐにそうした一時の興奮を恥ずかしく思い、それをおさえてのける。それだけではなくて、アントワーヌへの愛によって心を和ませた夫人は、かえって夫を許し、離婚を思いとどまる心境になる。フォンタナン夫人の無限の優しさがここにある。

ダニエルのニコルへの愛は、早熟な漁色家の遊びでしかない。ジャックはそれに嫌気がさす。そのため、リスベットへの悲しい愛を友に打ち明ける勇気がくじけてしまう。そのようなジャックに妹ジェンニーをあてがって、ダニエルは暗室でニコルとふたりになる機会をつくって誘惑しようとする。しかしニコルはダニエルのふまじめな誘惑をはねのける。ダニエルのみだらな表情のなかに、自分の母ノエミを堕落させた、おじジェロームのけがらわしさを見つけてしまうのである。

最もむずかしいのがジャックとジェンニーの場合である。ジェンニーは兄を家出に誘った張本人を恨む気持ちから、ジャックには憎しみを抱いていた。「無上に彼をいやだ」と思うのである。ところがジェンニーは、最もジャックによく似た人間なのであって、ジェンニーの「秘密をもらさないひとみの奥に、神経質な気まぐれと、ふるえてやまない鋭い感覚」を敏感に見てとったジャックは、ジェンニーこそが自分にふさわしい女と直感して、リスベットの面影が褪せてゆくのを覚える。しかし不器用なジャックと、秘密を守るためにあのような重病に陥ってしまうほど神経質なジェンニーは、たやすく結ばれる男女ではない。それどころか、ふたりは一種の「にらみあい」でしか相手に接することができないのである。しかしわれわれは、そのようなにらみあいが、あまりにもよく似た男女間の最初の反発によるものであり、じつはそれがある種の特殊な親和力の裏返しなのではないか、という予感を抱かせられるのである。だがジェンニーはいまだ幼く、固くとざした青い果実に過ぎない。

ジャックが異性に触れるのは、ジェンニーによってではなくて、やはり年上の女リスベットによってである。

ジャックとリスベットが結ばれる愛の場面は、カミュも指摘する「性愛と死の同時的結合」という有名な場面の一つである。すなわち、フリューリンクばあさんの埋葬の前夜に、ジャックとリスベットは肉体的に結合するわけである。リスベットは安置されたばあさんの遺体と、部屋で待っているジャックのあいだを往復しているうちに、ジャックを性愛の儀式へと誘なう。自分のからだに触れさせせながら「いっしょに、フリューリンクばあさんのために祈りましょう」と囁くリスベット、そして、祈ってでもいるように彼女を真剣に抱擁するジャック……年上の女によって性愛へと手ほどきされることではマルセーユでのダニエルの場合と似かよってはいるものの、ジャックの初体験は、それが死と共時的に結合させられることによって、ダニエルの場合には見られない真摯な意義をもつ。そこには、逸楽とは程遠いものがある。と言うより、ジャックは肉体的快楽のみに身を委ねることのできぬ、抽象思考型の人間なのである。そこで翌朝目を覚ますや、彼は肉体的な思い出を振り捨てるべく、

「しゃにむに自分の身についているものをぬぎすてたい気持ち、べたついているからだをざぶざぶ洗ってしまいたい気持ち」にかられて、つめたい水を浴びる。その水浴びは、一種の「洗礼」のようなものになった。それによって、彼は心身ともにきよめられ、健康をとり戻したように幸福になる。なぜ幸福になるのだろう。翌日たいした感激もなしにリスベットの手を握るジャックは、あのようにリスベットを待ちこがれていた精神的な愛が、性愛という肉体的営みに裏切られたことによるあっけなさと、それによって不安な愛着を克服しえたという安心感で幸福になったと言えるのではないか。ジャックの愛は、肉体的なものの欠如した、精神的で、潔らかで、いくらか不毛な愛なのである。アントワーヌとリスベットの共犯で仕組まれた誘惑にさえ、真心をもって答えたジャック、何事にも真剣に対処するジャックの恋人として、二人の男と同時に関係を持てるリスベットはふさわしい相手とは言いがたい。ジャックはそれを無意識に感じとって、水の洗礼を果たしたのかもしれない。

それよりジャックがいまからなさねばならぬのは、高等師範学校受験のための懸命の勉強である……

店村新次

本書は2010年刊行の『チボー家の人々 2』第16刷をもとにオンデマンド印刷・製本で製作されています。

訳者：
山内義雄
(1894 ~ 1973)
1950年「チボー家の人々」により芸術院賞受賞
訳書マルタン・デュ・ガール「ジャン・バロワ」
「チボー家のジャック」他多数

解説者：
店村新次（たなむら　しんじ）
(1919 ~ 1991)
同志社大学名誉教授，文学博士
主著「ロジェ・マルタン・デュ・ガール研究」

白水uブックス　39

チボー家の人々　2　少年園

訳　者 © 山内義雄（やまのうちよしお）
発行者　岩堀雅己
発行所　株式会社 白水社
東京都千代田区神田小川町 3-24
振替　00190-5-33228　〒 101-0052
電話（03）3291-7811（営業部）
（03）3291-7821（編集部）
www.hakusuisha.co.jp

1984年 3 月 20 日第 1 刷発行
2023年 6 月 20 日第 26 刷発行
表紙印刷　クリエイティブ弥那
印刷・製本　大日本印刷株式会社
Printed in Japan

ISBN978-4-560-07039-0

乱丁・落丁本は送料小社負担にてお取り替えいたします。

Roger Martin Du Gard: *Les THIBAULT*